INHALTSVERZEICHNIS

DAS EXPERIMENT
PROBIEREN GEHT ÜBER STUDIEREN

Vertrauen ist die Frucht einer Beziehung,
in der du weißt, dass du geliebt bist.
—»Die Hütte«, Seite 144

Die Beteiligten: Eine Frau. Gott. Zwei Aufgaben, drei Fragen und sieben Tage Zeit an einem anderen Ort – um eine ganz neue Begegnung miteinander zu erleben.

Die Frau: Ich, Kerstin Hack, Autorin, Verlegerin, Coach, Berlinerin, Anfang vierzig, Single, kreativ, extrovertiert, voller Ideen und Inspiration, sensibel, das Leben liebend.

Gott: Was will man über ihn sagen, um ihn zu beschreiben? Alle Worte der Welt reichen nicht aus. Er ist bereits überall präsent – es geht nur darum, seine Spuren zu entdecken.

Aufgabe eins
Gott neu begegnen und auf eine Art und Weise wahrnehmen, die mich stärkt, ermutigt und motiviert, weiter mit ihm zu leben. Obwohl Glaube und der Dialog mit Gott schon lange zu meinem Leben gehörten, war meine Beziehung zu Gott in den letzten Jahren merklich abgekühlt. Ich glaubte zwar nach wie vor an ihn, aber ich konnte mich nicht mehr an ihm freuen. Wenn andere begeistert von ihren Erfahrungen mit Gott erzählten, ließ mich das kalt und irritiert zurück. Enttäuschungen hatten meiner Begeisterung das Wasser abgegraben.

Der Roman *Die Hütte*[1], der schildert, wie die Hauptfigur Mack nach einem tragischen Verlust Gott neu und tief erlebt, hatte mich bewegt und inspiriert. Ich spürte Sehnsucht, etwas Ähnliches selbst zu erleben. Sehnsucht nach einer Begegnung mit Gott, die mein Herz berühren, mich trösten und mir neue Hoffnung geben würde. Begegnung mit einem lebendigen Gegenüber, das mir in der Begegnung Antworten schenken würde, die weit über meine Fragen hinausgingen.

Aufgabe zwei
Antworten auf Fragen finden, die mich seit langem beschäftigten. Einige schmerzliche Erfahrungen hatten mich gründlich irritiert und in meinem Glauben erschüttert. Meine allerwichtigsten Gebete schienen an der Decke abzuprallen und nicht bei Gott anzukommen. All dies hatte Fragen aufgeworfen:
• Warum will Gott, dass ich ihn um etwas bitte, wenn er das Gebet dann doch nicht erhört?
• Warum spricht Gott zu mir und sagt mir Dinge zu, die er dann doch nicht erfüllt?
• Wie kann ich ihm wieder neu vertrauen?
Ich wollte nach hilfreichen Antworten suchen. Antwort hat immer mit Dialog zu tun. Mit Worten, Gedanken. Ich suchte Erklärungen, die mir das Geschehene verständlich machen würden.

Die Hütte: Der Ort des inneren Erlebens, des Schmerzes und der Freude. Gleichzeitig eine Wohnung in der historischen Stadt Antwerpen. Ich wollte Gott dort finden. Mit einem Gott, dem ich nur in der Einsamkeit und Abgeschiedenheit begegnen könnte, kann ich in meinem Berliner Stadtalltag nur wenig anfangen.

Die Zeit: Sieben Tage im September 2009. Zeit, in der ich Gott bewusst anders nahe kommen wollte als zu Hause. Sieben Tage sind kurz, um nach wichtigen Antworten zu suchen. Ich wollte jedoch nicht – wie andere es tun – für Monate aus meinem Leben aussteigen. Deshalb begrenzte ich das Experiment.

---

1   William Paul Young, Die Hütte. Mein Wochenende mit Gott, Allegria 2008

Das war riskant, weil Gott ja Gott ist und keineswegs sicher war, ob in diesen sieben Tagen etwas Entscheidendes geschehen würde. Vielleicht wollte ich Gott ein bisschen herausfordern: »Gott, du hast sieben Tage Zeit, mir zu antworten und zu begegnen!« Nicht zuletzt, weil ich ahnte, dass er sich noch mehr nach Begegnung mit mir sehnte, als ich es tat.

Die Mitschrift: Erlebtes schriftlich festzuhalten, ist ein guter Weg, um Gedanken zu sortieren und zu ordnen. Ich hoffe, dass die Antworten, die ich entdeckte, auch für andere hilfreich sein können.

Ent-decken ist ein schönes Wort. Es drückt für mich aus, dass die Antworten schon da sind, man sie nur aufdecken muss. Von Roman, einem sehr umsichtigen Freund, kam die Idee, am Ende der einzelnen Erfahrungen eine »Weisheit des Tages« zu notieren, um es ihm und anderen zu erleichtern, meine Erfahrungen für ihre eigene Suche nach Gott zu nutzen.

Die Rezepte: Die Impulse am Ende jedes Kapitels sind Anregungen, die dir die Beziehung zu Gott schmackhaft machen können. Das »du« verwende ich hier übrigens, weil es ein sehr persönliches Buch ist, zu dem das »Sie« kaum passt. Es sind keine Patentrezepte oder gar Vorschriften im Sinne von »So musst du es machen.«

Jede kluge Köchin weiß: Rezepte sind Anregungen. Keine Befehle. Man kocht sie am besten einmal nach Anleitung, um die Grundidee zu verstehen. Später variiert und verändert man, lässt das eine oder andere weg und fügt eigene Zutaten hinzu – ganz nach dem eigenen Geschmack. Und man kocht überhaupt nur die Rezepte nach, die einen ansprechen und einem das Wasser im Mund zusammen laufen lassen. Alle anderen kann man getrost ignorieren.

In diesem Sinne – viel Inspiration beim Lesen.
Und: Guten Appetit!

Kerstin Hack
Berlin, Herbst 2009

WOHIN GEHT DIE REISE?
WAAR NAAR TOE?[2]

*Wirklich reisen heißt: sich ohne Gepäck dem Unerwarteten aussetzen
und alles Fremde in Heimat verwandeln.*
—ILJA TROJANOW

Antwerpen ist der erste Ort, der in dem Buch *1000 Orte, die man gesehen haben sollte, bevor man stirbt*[3], erwähnt wird. Zu Recht – es lohnt
sich, diese faszinierende, historische Stadt zu besuchen. Aber nicht die
Sehenswürdigkeiten und touristischen Attraktionen zogen mich an.
Meine Reise hatte einen anderen Grund.

In Antwerpen ist meine »Hütte«. Es ist für mich ein Ort, an den ich
mich zurückziehen und mit mir und Gott alleine sein kann, um zur
Ruhe zu kommen, mir selbst auf die Spur zu kommen und Dinge zu
klären. »Hütte« ist fast eine Beleidigung für diesen Ort. Es ist keine
primitive Behausung in einer einsamen, menschenleeren Gegend – was
natürlich auch wunderbar sein kann. Menschen aller Generationen
und Kulturen haben die Einsamkeit gesucht, um Gott zu begegnen.
Ich hingegen liebe Städte und glaube, dass man Gott dort ebenso intensiv, wenngleich auf andere Art und Weise, begegnen kann wie in
völliger Abgeschiedenheit.

Extreme Einsamkeit kann bedrohlich sein. Nicht jedem liegt es, tagelang mit sich, den eigenen Gedanken und Gott allein zu sein. Statt
zur Ruhe zu finden, fühlen sich manche Menschen in völliger Abgeschiedenheit eher verloren, isoliert und einsam.

---

2   Flämisch für »Wohin geht´s?«
3   Patricia Schulz: 1000 Places to see before you die. Die Lebensliste für den Weltreisenden

Meine lebhafte Freundin Henriette*[4] hat das so erlebt: »Ich hab das auch mal ausprobiert – völlige Einsamkeit. Dabei habe ich mich so schrecklich einsam gefühlt, dass ich zwei Tage lang nur geweint habe. Gott bin ich da nicht begegnet.«

Vielleicht war es feige von mir, nicht diese Extremvariante der Gottessuche zu wählen. Aber es ist, wie es ist. Ich habe nun mal nicht den gleichen Mut wie Mack in dem Roman *Die Hütte*, der allein zu einer abgelegenen Hütte in der Wildnis ging. Die Hütte ist auch eine Metapher für all den unverarbeiteten Schmerz, der in seiner Seele feststeckte, die schmerzhaftesten Erinnerungen seines Lebens, die sich dort zusammenballten. Wäre Gott ihm dort nicht begegnet, hätte er schreckliche, einsame Tage erlebt, die alles noch viel schlimmer gemacht hätten. Dieses Risiko ist mir zu groß. Deshalb ist meine Hütte ein modernes Loft in einem beeindruckenden Altbau in Antwerpen, der schönen, historischen Stadt in Flandern.

Wann immer meine Freunde Derek und Amy ihre Wohnung nicht nutzen, was ziemlich oft der Fall ist, kann ich dort sein. Ohne zu zahlen. In der Küche stehen drei Gläser voller Münzen aus aller Herren Länder. Wer zu Gast ist und Geld braucht, darf sich bedienen. Geld ist den beiden nicht so wichtig. Symbole bedeuten ihnen dafür umso mehr. Bei einem Besuch brachte ich ihnen aus den Ländern, die ich auf dem Weg zu ihnen durchquerte, als Symbol für die weite Strecke Schokolade mit: aus der Schweiz, Deutschland und Belgien. Noch Jahre später sprachen sie von diesem Geschenk.

Das Gebäude, in dem sich ihre Wohnung befindet, ist ebenso eindrücklich wie einzigartig. In den hohen Fluren hängen Dutzende großformatige, moderne Ölbilder. Eines zeigt einen Mann, der einer Putte mit einer riesigen Schere die Flügel abschneidet. Etwas bedrohlich, aber die Dramatik passt zu dieser historischen und kreativen Stadt.

Sobald man die Flügeltür zu ihrer Wohnung geöffnet hat, steht man im Wohnzimmer. Gut vier Meter hoch mit Fenstern, die fast vom Boden bis an die Decke reichen. Alte honigfarben gebeizte Holzdielen. Eingerichtet mit einer bunten Mischung: hohe Lederstühle an einem langen, wertvollen Holztisch ebenso wie Sachen vom Sperrmüll.

---

[4] Alle Namen, die bei der ersten Erwähnung ein Sternchen tragen, sind geändert, um die Person zu schützen. Alle anderen Namen sind die realen Namen der Personen.

Zwei Sessel im 50er Jahre Stil hatte ich selbst am Straßenrand gefunden und auf meinem Kopf an einem Samstagnachmittag quer durch die überfüllte Fußgängerzone geschleppt. Nun dient einer davon als Fernsehsessel, der andere ersetzt im Bad die fehlenden Handtuchhalter.

Für mich birgt dieser Ort viele Erinnerungen. Hier habe ich die Jahre 2005 und 2006 begonnen, fröhliche Zeiten mit alten und neuen Freunden verbracht. Amy, die eine hervorragende Köchin ist, hat uns verwöhnt. Der Ort erinnert mich auch an Zeiten der Planung, Reflexion und Stille. Ich habe hier Bücher geschrieben und Entscheidungen getroffen, Neuanfänge gefeiert und Beendetes betrauert. Hier habe ich gelebt, geliebt, gebetet, geweint – manchmal alles auf einmal.

Antwerpen ist kreativ und inspirierend, strahlt aber dennoch – besonders an nebeligen Herbsttagen – Ruhe und Zurückgezogenheit aus. In der Wohnung meiner Freunde gibt es kein Telefon und auch kein Internet – für mich die idealen Voraussetzungen, um zur Ruhe zu kommen und meinem Gott zu begegnen. Antwerpen ist für mich voller Erinnerungen an schöne Zeiten, aber auch an einige der schmerzvollsten Erfahrungen meines Lebens. Es ist »Meine Hütte«, der Ort, wo sich viel Schmerzhaftes kristallisiert.

Derek schrieb mir vor der Reise: »Ich wünsche dir, während du dort bist, eine wunderbare, friedliche Zeit – erfüllt von neuer Vision. Jesus begegnet mir in Antwerpen immer als Freund. Es ist dieser eine Aspekt seines Wesens – der Teil von ihm, der einfach ein guter Freund von mir sein möchte. Und im Rahmen dieser freundschaftlichen Begegnung zeigt er mir immer auch Geheimnisse und Schätze auf.«

Der feinfühlige Derek hatte mal wieder – wie schon oft – meine tiefste Sehnsucht in Worte gefasst. Er ist ein Mensch, der mir wie kein anderer geholfen hat, mein eigenes Herz zu erspüren. Das hat ihn – und auch mich – einiges an Nerven gekostet, aber es hat auch die Freundschaft zu ihm und seiner Frau Amy ganz besonders kostbar und tief gemacht. Ich sehnte mich nach neuer Ausrichtung und Inspiration. In mir waren alter, ungelöster Schmerz, Fragen an Gott, auf die ich in den vergangenen Jahren keine Antwort gefunden hatte. Im Vorfeld der Reise waren diese alten, quälenden Fragen wieder an die Oberfläche gekommen.

Mich bewegte vor allem die Frage, warum Gott überhaupt möchte, dass ich ihn um etwas bitte, wenn er meine Gebete dann doch nicht erhört. Gott ist Gott, er hat das Recht, Gebete nicht zu erhören. Das ist klar. Aber warum will er dann, dass ich bitte? Warum spricht er manchmal zu mir und zeigt mir konkret, worum ich bitten soll – und tut dann nicht, was ich erbeten habe? Ist das nicht ein grausames Spiel? Ich verstand es nicht. Wirklich nicht. Ich brauchte echte Antworten. Danach sehnte ich mich voller Angst.

So ging es auch Mack in *Die Hütte*, der seine Tochter durch ein Gewaltverbrechen verloren hatte. Gott lud ihn in die Hütte ein, in der ihre letzten Spuren gefunden worden waren – ein rotes, blutbeflecktes Kleid. Macks Geschichte und vor allem seine einzigartige Begegnung mit Gott hatten mich – wie viele andere – tief berührt. Nein, ich habe kein Kind durch ein Gewaltverbrechen verloren. Mein Leben lief bislang weit zahmer ab. Dennoch hatte ich Verluste zu beklagen, die große Fragezeichen in meinem Leben und meiner Beziehung zu Gott aufgeworfen hatten.

Die Angst spürte ich im Vorfeld der Reise immer wieder. Was wäre, wenn mir die Decke auf den Kopf fiele und mit ihr alle Gebete, die dort kleben geblieben waren und Gott scheinbar nicht erreicht hatten? Was, wenn ich mich einsam und isoliert fühlte?

So wie bei einem Urlaub in der Türkei. Gleich am ersten Tag war mein Lieblingsbadeanzug gestohlen worden. Den brauchte ich allerdings in den nächsten Tagen ohnehin nicht mehr. Von den fünf Regentagen, die die Türkei üblicherweise im Oktober zu verzeichnen hat, erlebte ich sieben. Es regnete ununterbrochen.

Strand war undenkbar. Als ich in einer Regenpause spazieren ging, wurde ich belästigt. Beim Essen saßen nur Familien, die mit Kleinkindern beschäftigt waren und keine Lust auf Kontakt hatten. Bereits nach drei Tagen hatte ich alle Bücher durchgelesen, die ich dabei hatte. Ich nutzte die Kochplatte der Mini-Küche, um die Wohnung zu heizen. Einsam. Kalt. Nein, so etwas wollte ich nicht wieder erleben.

Inmitten der Angst, Gott könnte mir möglicherweise in Antwerpen nicht begegnen und ich würde mich dann umso mehr enttäuscht, verletzt, verlassen und zurückgewiesen fühlen, erinnerte ich mich an eine Geschichte, die ich einmal gehört hatte.

Ein junger Mann sollte die Verantwortung für eine Gruppe übernehmen, die sich zur Begegnung miteinander und mit Gott treffen wollte. Vor dem ersten Termin rief er aufgeregt einen befreundeten Pastor an: »Wir haben alles vorbereitet, Essen gemacht und Kaffee gekocht. Was sollen wir denn machen, falls Gott uns nicht begegnet?«

»Ach, dann genießt die Zeit und trinkt weiter Kaffee!«

Ich nahm mir diesen Rat zu Herzen. Ich wollte Gott finden – wenn er mir begegnete. Im »Notfall« würde ich entspannt Kaffee trinken und das Leben genießen – das kann man in Antwerpen ziemlich gut.

⁓

KLEINE WEISHEIT

Es ist gut, zu überlegen, wo und wie du Gott am besten begegnen kannst. Dann aber nicht zu verkrampfen, sondern entspannt abzuwarten, wo und wie er dir begegnen will.

MAN NEHME ...

... Google Earth: www.googleearth.com

Gott ist überall. Aber uns fällt es an manchen Orten leichter, uns für die Begegnung mit ihm zu öffnen, weil diese Orte ruhig, inspirierend, wunderschön oder voller Erinnerungen sind.

Überlege: Was brauchst du, um Gott zu begegnen: einen ruhigen Ort oder eher einen Ort, der dich inspiriert und auf neue Gedanken bringt? Oder ...? Der Ort kann eine Lieblingsecke in deiner Wohnung sein, ein kleiner Park in der Nachbarschaft, eine Kunstgalerie, ein Stadtteil oder ein anderer Ort, den du magst. Oder auch eine gemütliche Pension oder ein Jägerstand im Wald.

Markiere bei Google Earth alle Orte, an denen dir die Begegnung mit Gott leichter fällt als anderswo. Wenn du nicht so gern im Internet surfst, kannst du die Liste auch schriftlich erstellen.

AUFBRUCH

Die wahre Entdeckungsreise ist keine Suche nach neuen Landschaften, sondern der Wunsch, mit neuen Augen zu sehen.
—MARCEL PROUST

Aufbrechen – Aufbruch. Diese Wörter haben etwas Kraftvolles, Raues, fast Gewalttätiges. Sie sprechen von Veränderung und Erneuerung, von Loslassen und Auseinandertrennen. Erst wenn die Erde zu großen Schollen aufgebrochen wurde, wenn das Grobe etwa geeggt wurde, ist es sinnvoll, neuen Samen auszustreuen.

Vor der Abfahrt hatte ich im Eiltempo einige Projekte zum Abschluss gebracht, Dutzende von Mails beantwortet, die Ablage weitgehend abgearbeitet und Bad, Balkon und Küche geschrubbt. Außerdem hatte ich meinen Roboter-Staubsauger *Mr. President* durch die Wohnung geschickt. Ich habe ihn nach einem amerikanischen Staatsoberhaupt benannt, das angeblich im Haushalt hilft. Bewaffnet mit einer Flasche Oberflächenreiniger entfernte ich alle sichtbaren Staub- oder Schmutzspuren in meiner Wohnung – vom Waschbecken bis zur Computertastatur. Warum habe ich vor Reisen weit mehr als sonst das Bedürfnis, alles in Ordnung zu bringen? Vielleicht, weil ich für den Fall, dass mir auf der Reise etwas zustößt, der Nachwelt kein Chaos hinterlassen möchte.

Vielleicht aber auch, weil ich – wie viele andere Menschen – die Erfahrung gemacht habe, dass man sich auf Reisen immer ein bisschen verändert. Dann möchte man bei der Rückkehr nichts Altes mehr erledigen müssen, sondern will lieber mit frischer Energie und Ausrichtung neue Dinge beginnen. Vielleicht veränderte ich mich auf dieser Reise sogar mehr als nur ein bisschen? Ich wünschte es mir.

Im Vorfeld der Reise war ich so voll gespannter Erwartung, dass ich schon eine Woche vor Abflug mit dem Packen begann. Mit jedem eingepackten Stück wuchs die Vorfreude. Aber so viel nahm ich gar nicht mit. Zwei bequeme Hosen und Lieblingspullis, einen schönen Rock. Daneben einige Kleidungsstücke und Gegenstände, von denen ich mich trennen wollte. Einen Rucksack mit irreparablen Rissen und T-Shirts, die ihre besten Tage schon lange hinter sich hatten. Auf Reisen fällt mir das Loslassen leichter: »Das kommt nicht mehr mit zurück ...« Auch deshalb, weil Dinge, die man auf Reisen neu kauft, mit Erinnerungen verknüpft sind – an die besonderen Zeiten, die man an diesem Ort erlebt hat, und die Eindrücke, die man dort gesammelt hat.

Passt ein Abschnitt über Kleidung in ein Buch über die Suche nach Gott? Ich glaube schon. Kleidung drückt sehr viel von der eigenen Persönlichkeit und Stimmung aus. Sie trägt nach außen, wer man ist und was einen bewegt. Traurige Menschen tragen oft dunkle Farben, frohe Menschen greifen eher zu leuchtenden Tönen.

Weil jeder Mensch so viele unterschiedliche Facetten hat, kann man nie alle gleichzeitig ausdrücken, sondern wählt Kleidung auch danach aus, welchen Aspekt der eigenen Persönlichkeit man gerade betonen und zum Ausdruck bringen möchte: das Besinnliche oder das Lebensfrohe, das Entschlossene oder das Schutzbedürftige. In der Bibel wird sogar beschrieben, dass Gott sich – je nach Anlass – unterschiedlich kleidet. Auch Aspekte der Beziehung zu Gott kann man durch Kleidung ausdrücken. Afrikanische Christen ziehen ihre schönsten Kleider und besten Anzüge an, wenn sie sich zum Gottesdienst treffen. Sie wollen damit ihren Respekt vor Gott zum Ausdruck bringen. Andere Menschen bevorzugen bequeme Kleidung, die vermittelt: Ich darf zu Gott kommen, wie ich bin.

In verschiedener Kleidung gibt man sich anders. Man ist, was man trägt. Im Business-Anzug fühlt man sich anders als in Gartenklamotten. Sogar in der Beziehung zu Gott gibt es einen Unterschied, ob man im Pyjama oder im Abendkleid betet. Ich hatte das eines Abends ausprobiert, indem ich vor einer Gebetszeit mein schönstes Kleid anzog, mich schminkte und Gott bewusst willkommen hieß. Ich wollte zum Ausdruck bringen, dass ich ihn schätze, die Begegnung mit ihm etwas Besonderes für mich ist. Kleidung sagt viel. Ohne Worte.

In Berlin hatte es noch in Strömen geregnet. Hundewetter. Das passte zu der Trauer, die ich empfand, weil ich am Abend vor der Abreise vom plötzlichen Tod eines Freundes erfahren hatte. Beim Packen der letzten Dinge war ich immer wieder in Tränen ausgebrochen.

Doch als ich in Amsterdam landete, sah der Himmel aus wie auf den Gemälden niederländischer Maler: leuchtend blau mit weißen Wolkenbergen, die sich über einer unendlich weiten, grünen, von Kanälen durchzogenen Landschaft türmten.

Sanierungsarbeiten bei der Bahn führten dazu, dass ich Stunden später zwar »Trein stop niet in Shipol« akzentfrei aussprechen konnte, aber viel später als geplant und sehr unterkühlt in der Wohnung meiner Freunde ankam. Ich sehnte mich nach einem Whiskey. Das passiert mir selten – maximal zweimal im Jahr. Aber durchgefroren von der langen Reise in einem unterkühlten Zug wäre das genau das Richtige gewesen.

Doch in der Wohnung fand ich nur tschechisches Mysli (wird tatsächlich so geschrieben), Käse und etwas Orangensaft. Also kochte ich mir einen Tee im pfeifenden Wasserkessel, zündete eine Kerze an und sah durchs große Wohnzimmerfenster nach draußen. Von Gott spürte ich nichts, nur Müdigkeit, Kälte und Erschöpfung von der langen Reise und dem vielen Weinen um meinen verstorbenen Freund.

❧

KLEINE WEISHEIT

Reisen verändert. Ich kann die Veränderung schon in der Vorbereitung auf die Reise anbahnen.

MAN NEHME ...

... einen Kleiderschrank.

Gott ist immer derselbe. Aber wir erleben uns selbst – und damit auch die Begegnung mit ihm – anders, wenn wir uns anders kleiden. Stell dich vor deinen Schrank und frage dich: In welchen Kleidungsstücken begegne ich Gott gerne? Welches sind Kleidungsstücke, die ich oft trage, wenn ich Zeit mit ihm verbringe? Welche eher selten?

Probiere aus, wie es ist, wenn du ein für dich ungewohntes Kleidungsstück für die Begegnung mit Gott trägst: etwas sehr Festliches, Business-Kleidung, Outdoor-Klamotten oder etwas Romantisch-Verträumtes.

... eine (elektronische) Bibel, zum Beispiel www.bibleserver.com, und eine Konkordanz.

Die Bibel beschreibt an vielen Stellen, wie und womit Gott sich kleidet und wie er uns kleidet. Forsche nach: Wie kleidet sich Gott? Am einfachsten geht das, wenn du nach Begriffen wie »kleidet« oder »Gewand« suchst. Schreibe oder male die Ergebnisse deiner Suche auf.

TAG 1
WILLKOMMEN

Gastsein ist gut. Heimkommen ist besser.
—Sprichwort aus Gabun, Afrika

Ich gestehe: Ich bin ein konservativer Mensch. Obwohl ich ständig Neues entwickle – oder vielleicht gerade deshalb – hänge ich sehr an dem, was mir vertraut geworden ist. Es irritiert mich, wenn sich Dinge verändern. Es brachte mich ein kleines bisschen aus der Fassung, als ich im Badezimmer meiner Freunde entdeckte, dass mein Lieblings-Duschgel nicht mehr da war. Das Oliven-Duschgel, mit dessen zartem Geruch für mich bisher jeder Tag in Antwerpen begonnen hatte.

Schlimmer als das Duschgel, das ich ersetzen konnte, war, dass die Wohnung gegenüber, die man vom Wohnzimmerfenster aus sieht, eine neue Mieterin hatte. Das Paar, das früher dort gewohnt hatte, war offensichtlich ausgezogen. Ich hatte bei früheren Besuchen oft am Abend bei Kerzenschein am riesigen Fenster gesessen und gelesen. Ich hatte es genossen, nebenbei zu sehen, wie sie in ihrer avantgardistisch eingerichteten Wohnung den Tisch deckten oder miteinander sprachen. Jetzt war die Wohnung karg. Keine Bilder an den Wänden. Nur ein Fernseher. Auf dem Sofa saß eine Frau mit einem Laptop auf dem Schoß – genau wie ich. Wie langweilig.

Gut zwei Jahre zuvor waren meine Freunde innerhalb des Hauses umgezogen. Zuerst hatten sie eine große Wohnung am hinteren Ende des Gebäudes bewohnt. Gegenüber der St. Jacobs Kirche, in der Peter Paul Rubens beerdigt ist. Genau an der Straße, auf der schon morgens um fünf die belgische Straßenbahn quietschend entlang fährt. Ihre Wagen sind so alt, dass ich mich an nebligen Tagen manchmal in eine andere Zeit versetzt fühlte und fast erwartete, dass gleich Soldaten aus dem zweiten Weltkrieg um die Ecke bogen. In der früheren Wohnung meiner Freunde hatte ich wunderbare Stunden verbracht, Feste gefeiert, zwei neue Jahre begrüßt, ich war umarmt, gefeiert, beschenkt, geliebt und getröstet worden.

Wie sehr mir diese Wohnung zu einem zweiten Zuhause geworden war, begriff ich erst, als sie mir erzählten, sie seien umgezogen. In eine Wohnung im gleichen Gebäude, drei Türen weiter. Ich reagierte mit Verlustangst. Angst davor, mich in einer neuen, mir nicht vertrauten Umgebung einsam und ungeborgen zu fühlen.

Wie überrascht war ich dann, als ich 2007 dort ankam und mich in der neuen Umgebung umsah. Das erste, worauf mein Blick fiel, war mein Designkalender *30. Februar* – das erste Kunstprojekt, das ich je publiziert hatte.

Etwas weiter rechts hing immer noch mein Berlin-Kalender aus dem Jahr 2005. Oben an der Küchenwand entdeckte ich einen Dankesbrief, den mein damaliger Freund und ich den beiden nach einem Besuch geschrieben hatten. Der Brief war mittlerweile ebenso verblichen wie die Beziehung selbst.

Über dem Herd war meine Visitenkarte angebracht. Auf dem Tisch stand eine Schale, die wir ihnen als Dankeschön für die schöne Zeit geschenkt hatten. Im Küchenschrank befanden sich noch leckere Tees, die ich ihnen mitgebracht hatte und eine Packung Lebkuchen aus dem Jahr 2005! Als ich am Abend ihre CD-Sammlung durchsah, entdeckte ich eine CD, deren Cover mir ausnehmend gut gefiel: knallrote Schuhe auf grauem Hintergrund. Ich öffnete sie und entdeckte eine CD, die ich selbst Derek vor mehreren Jahren gestaltet, geschenkt und anschließend vergessen hatte.

Es berührte mich damals tief, überall in ihrer Wohnung Spuren von mir zu entdecken. Ich fühlte mich dort nicht mehr einsam, sondern geborgen. 1000 Kleinigkeiten, Erlebnisse und Geschenke hatten mein Leben mit dem meiner Freunde verbunden. All dies zeigte mir: Ich bin wichtig für sie. Sie schätzen mich. Was ich ihnen gebe, ist ihnen wertvoll.

Als ich nun an meinem Lieblingsplatz saß, bewegte mich die Wertschätzung meiner Freunde, die in so vielen Dingen, die sie von mir aufbewahrt hatten, zum Ausdruck kam.

Ich erinnerte mich an eine Szene aus dem Buch *Die Hütte*, in der beschrieben wird, dass Gott Erinnerungsstücke seiner Kinder aufbewahrt. Und an eine Bibelstelle, in der Jesus seinen Jüngern sagt, dass er weggeht, um Wohnungen für sie vorzubereiten.[5]

Wie diese Wohnungen wohl aussehen mögen? Jesus liebt Menschen. Vermutlich sind die Wohnungen, die er für sie gestaltet, nicht in Einheitsgold und für alle gleich ausgestattet. Sie sind wohl eher ganz individuell – für jeden einzelnen genau passend und zum Wohlfühlen schön. Klar und schlicht für die einen, farbenfroh und extravagant für die anderen. Vermutlich wird Jesus, der eine ganze Welt voller Schönheit und Vielfalt geschaffen hat, für jeden Menschen eine Wohnung in einer kreativen Einzigartigkeit gestalten, die ihn zum Staunen bringen wird. Ich traue es ihm zu.

Dann fragte ich mich, wie Gottes eigene Wohnung wohl aussah. Ob in seinem »Wohnzimmer« auch – wie hier bei Derek und Amy – Erinnerungen an mich zu finden waren? Dinge, die die Verbundenheit zwischen mir und ihm zum Ausdruck brachten?

Ich schloss die Augen und begann in Gedanken einen virtuellen Rundgang durch »Gottes Wohnzimmer«. Es schien mir, als würde er mich dabei begleiten und mir erklären, was ihm die einzelnen Gegenstände bedeuteten. Das erste, was ich sah, war ein Bild von mir beim Coaching. Ich sah mich aufmerksam einer anderen Person zugewandt. Mein Blick war offen, klar, voller Interesse für die andere Person. Das ist typisch für mich. Ich liebe es wahrzunehmen, was in Menschen steckt, und ihnen durch einfühlsame und manchmal auch provokante Fragen dabei zu helfen, ihre Schätze zu heben. Ich bin selten so sehr »Ich«, wie wenn ich coache. Gott scheint das zu schätzen.

Daneben stand ein Bild von mir beim Tanzen. Ich bin wahrlich keine Ballerina. Als eine Freundin mir einmal einen Gutschein für einen Bollywood-Tanzkurs geschenkt hatte, fühlte ich mich bei den ungewohnten Schritten eher wie ein indischer Elefant als wie eine sich elegant-grazil bewegende indische Tänzerin. Dennoch liebe ich Tanz als Ausdruck meiner Gefühle und Persönlichkeit – auch in der Beziehung zu Gott.

---

5 Johannesevangelium, Kapitel 14, 2

In einem Gottesdienst zu sitzen oder – noch schlimmer – zu stehen und zu singen, finde ich meist steif und unpassend – für mich. Wenn ich lange still stehen muss, schweifen meinen Gedanken oft ab. Doch wenn der Rahmen einer Veranstaltung es zulässt, dass ich mich beim Singen bewegen und tanzen kann, genieße ich es. Mit Händen und Körper drücke ich meine Freude oder mein Staunen über Gott aus, zeige ihm meine Bewunderung und Dankbarkeit. Oder auch meinen Schmerz, meine Fragen, meine Sehnsucht, meine Hoffnung.

Das nächste, was ich in Gottes Wohnzimmer entdeckte, war ein Bild von mir mit einem kleinen Kind auf dem Arm. So wie kürzlich bei einer Hochzeit, als ich neben einer Mutter saß, die für den nächsten Programmpunkt verantwortlich war. Ihr Kind schrie. Sie war offensichtlich hin- und hergerissen zwischen ihrer Verantwortung für das Programm und ihrem Kind. Meine Freundin Rosemarie sagte zu ihr: »Geben sie das Kind Kerstin. Sie kann gut mit Kindern umgehen.« Kaum hatte ich das Kind auf dem Arm, beruhigte es sich. Es war, als würde Gott mir mit dem Blick auf dieses Bild sagen: »Ich genieße es sehr, wenn ich dich mit Kindern sehe. Das tut ihnen und dir gut.«

In einer Ecke von »Gottes Wohnzimmer« fiel mein Blick auf eine Reihe Bücher, die mit Blattgold in unterschiedlicher Dicke verziert waren. Es waren Bücher und Impulshefte, die ich selbst geschrieben hatte. »Das Gold steht für die Liebe, die du in die einzelnen Projekte investiert hast«, schien Gott mir zu sagen.

Ich konnte nachfühlen, dass die Hefte unterschiedlich stark mit Liebe gefüllt waren. Eines davon hatte ich für einen Freund geschrieben, der mir erzählt hatte, er sei nicht glücklich. Vieles in seinem Leben lief gut, aber er konnte kein Glück empfinden. Also habe ich für ihn aufgeschrieben, was Menschen wirklich glücklich macht – daraus ist *Glück* entstanden. *Emotionen* habe ich für einen anderen Freund geschrieben, der immer wieder darüber geklagt hatte, dass seine Gefühle für ihn wie ein undurchdringlicher Dschungel seien. Also schrieb ich eine Art Dschungelführer für ihn.[6]

Mit allen Büchern, die ich schreibe, möchte ich Menschen inspirieren. Doch in den Texten, die ich mit Blick auf konkrete Menschen

---

6   Zu finden unter www.down-to-earth.de

geschrieben habe, deren Probleme und Fragen mich tief berührten, steckt besonders viel Liebe. Es berührte mich, dass Gott das wahrnahm und mir signalisierte: »Das schätze ich an dir!«

Ein weiteres Bild zeigte mich beim Klettern. Diesen Sport hatte ich erst einige Monate zuvor entdeckt und gleich beim ersten Übungsabend Schwierigkeitsgrad 5 – das ist schon Sportklettern – bewältigt. Diese Art der Bewegung passt ausnehmend gut zu mir. Mir schien es, als wollte Gott mir sagen: »Ich mag es, dass du Herausforderungen des Lebens sportlich angehst.«

Auf einem Tisch stand ein Krug mit Zitronenlimonade. Gott erklärte mir: »Ich mag euer Sprichwort: ›Wann immer das Leben dir Zitronen gibt, mach Limonade daraus.‹ Ich schätze, wie sehr du das berücksichtigst, Kerstin. Wann immer dir etwas Schwieriges oder Schlimmes passiert, suchst du nach Wegen, wie du es verwandeln kannst. Und es gelingt dir sogar, aus deinen bitteren Erfahrungen Erfrischendes für dich und andere zu machen. Ich liebe das an dir.«

In einer Ecke sah ich ein großes Gefäß mit in Regenbogenfarben glitzerndem Wasser. »Hier habe ich deine Tränen aufbewahrt. Sie sind mir kostbar, weil jede etwas von deinem Herzen zeigt. Es berührt mich, dein Herz zu sehen.«

Nun fragte ich Gott, ob er in seiner Wohnung wohl Geschenke von mir aufbewahrte. Ich sah vor meinem inneren Auge viele Geschenke, die ich Menschen gemacht hatte. Jedes davon war auch ein Geschenk an Gott. »Wann immer du Menschen beschenkst – sei es materiell oder immateriell – erfreust du mich als ihren Schöpfer.«

»Gibt es denn etwas, was ich dir direkt geschenkt habe?«, fragte ich ihn weiter. »Ja«, antwortete Gott und nahm eine wunderbare goldene Kette aus einer kostbaren Schatulle. »Jedes Mal, wenn du mir vertraut hast, obwohl es dir schwer gefallen ist, habe ich ein neues Glied an die Kette unserer Verbundenheit geschmiedet. Alles, was hart für dich war und an dem du trotzdem dran geblieben bist, statt aufzugeben, ist wie ein kostbarer Edelstein für mich.«

Alles in diesem Raum sagte mir: »Ich sehe dich. Ich nehme dich wahr.« Ich konnte es tatsächlich glauben.

✿

KLEINE WEISHEIT

Gott sieht dich. Er findet dich einzigartig und hat dich ganz besonders gern.

MAN NEHME ...

... eine gute Portion Fantasie.

Stell dir vor, du würdest in Gottes Wohnzimmer gehen. Welche Erinnerungsstücke an dich würdest du dort wohl entdecken? Welche Bilder könnte er aufgehängt haben, die ihn an besonders schöne, aber vielleicht auch schmerzhafte Momente in eurem Miteinander erinnern? Welche deiner Geschenke hat er vielleicht aufgehoben? Welche Worte und Gedanken, die du an ihn gerichtet hast, sind bei ihm aufbewahrt? Schreibe auf oder male, was du siehst. Nimm dir genügend Zeit und Raum, um innerlich einzutauchen.

ESSEN MIT GOTT IN BELGIEN

Wer einen guten Wein trinkt, sieht Gott.
—FRANZÖSISCHES SPRICHWORT

Wo immer Begegnung stattfindet, wird gern gegessen. Auf Erden wie im Himmel. Jesus selbst wird in den Evangelien als jemand geschildert, der gerne gegessen und sogar selbst gegrillt hat. Auch die Dreieinigkeit in *Die Hütte* drückt ihre Freude am Miteinander im gemeinsamen Essen und am Ausprobieren interessanter Rezepte aus.

Spaghetti, Sushi und Schweinebraten zu genießen ist eine kreative Möglichkeit, Gott zu entdecken und einen Blick auf die Vielfalt zu werfen, in der Menschen an unterschiedlichen Orten ihr Leben gestalten. Auch wenn das Bild durch menschliche Unvollkommenheit etwas verzerrt ist, wird darin viel von Gottes Wesen widergespiegelt. Wer die Kunst, Lebensweise und Architektur von Menschen betrachtet, entdeckt immer auch etwas von Gott darin.

Wer die Speisen verschiedener ethnischer Gruppen und Völker genießt, kann Gott regelrecht schmecken. Nirgendwo spiegeln sich die Vielfalt von Gottes Schöpfung und die Kreativität von Menschen so deutlich wider wie auf einem Teller, einem Bananenblatt oder in einer Reisschale. Man sieht und schmeckt in Früchten, Pflanzen und Tieren die Vielfalt der Schöpfung – und die Kreativität der Menschen, die sich unendlich viele Kombinationen und Zubereitungsarten ausgedacht haben.

Weil es Gott und Menschen ehrt, habe ich es mir zur Gewohnheit gemacht, an Orten, die ich bereise, typische Nahrungsmittel auszuprobieren. Ob ich mich an die Pferdefleischgerichte wagen würde, für die Antwerpen berühmt ist, hatte ich jedoch zu Beginn der Reise noch nicht entschieden. Ich wählte erst einmal die scheinbar sichere Variante: eine Portion Pommes.

In Belgien gehören die *Pattatekes*, die »kleinen Kartoffeln«, seit dem 17. Jahrhundert zur Landeskultur. Miesmuscheln in Weinsoße mit Pommes sind Nationalgericht. Die Belgier leisten sich in Brügge sogar ein eigenes Pommes-Museum. In den meisten Familien gibt es freitags Pommes, um das Wochenende einzuläuten – es gibt sogar spezielles Geschirr dafür!

Amerikanische Soldaten entdeckten Pommes im französischsprachigen Teil Belgiens und nannten sie »French Fries«, obwohl ein Franzose sie wohl nur unter Todesdrohung zu sich nehmen würde.

Jede bessere belgische Pommesbude hat eigene Rezepte für selbst gemachte Mayonnaise und Soßen, die wie ein Schatz gehütet werden. Ich bat also um das Hausrezept – aus Mayonnaise, einer Art Curryketchup und frischen Zwiebelstücken. Die Pommes waren wenig gesalzen, die Preise dafür umso mehr. 2,20 Euro für die Pommes plus 1,50 Euro für die Soße. Luxuspommes. Vier Stunden später war mir immer noch schlecht. Ich hätte aus Erfahrung wissen müssen, dass ich Frittiertes nicht gut vertrage.

Magenbitter fand ich nicht und Pfefferminztee half nicht. Trotz des viel versprechenden Namen brachte auch die »Hang-over Cure«, ein frischer Obstsaft mit Ingwer, meinen Magen nicht wieder in Ordnung.

Die Bootstour durch den Hafen, auf die ich mich gefreut hatte, um mehr von der Geschichte der Stadt zu verstehen, fand – anders als im Reiseführer angekündigt – an diesem Tag nicht statt. Die kostenlose W-LAN-Zone rund um den Hafen funktionierte gerade lange genug, um zu erfahren, dass 51 neue Mails den Weg in meinen Posteingang gefunden hatten – dann brach sie endgültig ab. Das tolle Duschgel, das ich für meine Freunde kaufen wollte, gab es nicht mehr. An diesem Tag schien nichts zu klappen.

Zu allem Überfluss holten mich auf einer Rolltreppe auch noch Bilder aus der Vergangenheit ein. Ich erinnerte mich daran, wie mein früherer Freund und ich auf dem Weg zum Supermarkt auf dieser Rolltreppe gestanden und uns geküsst hatten. Küssen auf Rolltreppen ist einfach klasse. Vor allem, wenn der Mann fast einen Kopf größer ist. Dann ist Küssen auf Rolltreppen, wo der Größere sich eine Stufe weiter unten hinstellt, einfach wunderbar, entspannt und ein bisschen sportlich – schließlich muss man auch aufpassen, das Experiment rechtzeitig vor Ende der Fahrt abzubrechen. Ich schmunzelte bei der Erinnerung an viele schöne Momente. Und natürlich machte es mich gleichzeitig traurig. Ich würde gerne mal wieder auf einer Rolltreppe küssen. Aber ich weiß gerade nicht wen.

Mit hängendem Magen, frustriert und ein bisschen verwirrt lief ich durch die Straßen. Vorbei an meterhohen Bergen von Verpackungsmaterial, das die Läden abends auf die Straße stellen und das nachts von der Müllabfuhr entsorgt wird. Ich versuchte zu beten, aber es fiel mir schwer. Der Satz »Gott kommt dir entgegen, um dich zu lieben.«, den meine Freundin Rosemarie häufig zitiert, kam mir in den Sinn. »Hallo, Gott, wo bist du denn?« Die Missgeschicke des Tages und die nach wie vor empfundene Distanz zu Gott lösten zum Glück keinen grundsätzlichen Zweifel mehr daran aus, dass Gott mich liebt und es gut mit mir meint.

Früher hatte ich oft praktiziert, was Wayne Jacobsen[7] den Gänseblümchen-Glauben nennt. Viele Menschen machen das »Er liebt mich, er liebt mich nicht«-Spiel auch mit Gott. Die »Blätter«, die sie dabei abzupfen, sind ihre Bewertungen der Ereignisse des Lebens: Die Sonne scheint – Gott liebt mich. Es regnet – Gott liebt mich nicht. Ein Gebet wird erhört – Gott liebt mich. Ein Gebet findet scheinbar keine Antwort – Gott liebt mich nicht. Ich kann Gott verstehen und stehe auf der Sonnenseite des Lebens – Gott liebt mich. Ich bin irritiert und die Dinge laufen nicht, wie ich sie mir wünsche – Gott liebt mich nicht. Ich mache mir auch nicht mehr den Stress, beurteilen zu müssen, was nun gut oder schlecht für mich ist. Ich gehe davon aus, dass ich das nicht vollständig überblicken kann.

---

7 Wayne Jacobsen: Geliebt. Tag für Tag in der Zuneigung des himmlischen Vaters leben. Glory World Medien, 2008

So wie der Bauer in China, dessen ganzer Stolz sieben wunderschöne weiße Pferde waren. Eines Nachts ließ sein Sohn versehentlich das Gatter offen und die sieben Pferde rissen aus.

Die Nachbarn des Bauern kamen zu ihm und sagten: »Welch ein Unglück hat dich getroffen!«

Er antwortete: »Ein Unglück oder ein Glück – wer will es sagen?«

Vierzehn Tage später kamen die Pferde zurück und brachten sieben Wildpferde mit.

Die Nachbarn freuten sich mit dem Bauern: »Welch ein Glück hat dich getroffen!«

Er lächelte und antwortete: »Ein Glück oder ein Unglück – wer will es sagen?« Eine kleine Weile später warf eines der jungen Pferde den Sohn des Bauern ab, als er es zureiten wollte. Er brach sich das Bein und sein Vater war in der Erntezeit ganz auf sich allein gestellt.

Wieder kamen die Nachbarn und sagten: »Welch ein Unglück hat dich getroffen.«

Und erneut antwortete der Bauer: »Ein Glück oder ein Unglück, wer will es sagen?«

Kurze Zeit darauf zogen die kaiserlichen Truppen alle wehrfähigen jungen Männer für den harten Krieg an der Grenze ein – bis auf den Sohn des Bauern mit dem gebrochenen Bein. Die Nachbarn kamen und sagten ...

An diese Geschichte denke ich oft. Sie erinnert mich daran, dass die Geschichte meines Lebens noch weiter geht, ich aus meiner jetzigen Perspektive nicht immer richtig beurteilen kann, ob ein Geschehen auf lange Sicht gesehen gut oder schlecht für mich ist.

Sie hilft mir, gelassener zu bleiben. Dennoch rutsche ich in schwierigen Situationen immer mal wieder in diese Gänseblümchen-Logik ab: »Was ich erlebe ist schlecht, Gott liebt mich wohl nicht.« Aber es passiert mir wenigstens nicht mehr so häufig wie früher. Zumindest kleinere Krisen, wie dieser etwas misslungene erste Tag, werfen mich nicht mehr grundsätzlich aus dem Gleis des Vertrauens zu Gott. Ich stellte mir lediglich etwas ratlos die Frage, wie es denn die nächsten Tage besser werden könnte. Schließlich wollte ich ihm ja begegnen und das fiel mir – leicht durcheinander in Kopf und Magen – in diesem Moment ziemlich schwer.

Ich entschied mich, in das Guylian-Café zu gehen, das von der Kette mit den leckeren Meeresfrüchte-Pralinen geführt wird. Schon auf dem Weg zum Café freute ich mich auf den Kaffee und eine zart schmelzende Praline nach belgischem Reinheitsgebot: nur mit echter Kakaobutter. Meine Kinnlade fiel herunter, als ich ein Orangen-Praliné neben meiner Tasse entdeckte.

Ich hasse Orangen-Pralinés. Orange mit Schokolade erinnert mich an die eklig klebrigen Jaffa-Kekse, die ich schon als Kind nicht leiden konnte. Igitt! Da Gott mir meinen Mund nicht nur zum Essen, sondern auch zum Kommunizieren gegeben hat, nahm ich allen Mut zusammen, erklärte der Bedienung die Situation und bat um eine andere Praline. Sie brachte zwei! Eine hell und eine dunkel. Lecker.

Als ich später wegen des einsetzenden Regens unter das Vordach flüchtete, begrüßten mich zwei weitere Pralinen, die figurbewusste Damen dort liegen gelassen hatten. 1 x Orange (schade!), 1 x dunkles Praliné. Nach Gänseblümchenlogik würde ich nun sagen: Vier leckere Pralinen, eine doofe – Gott liebt mich ziemlich! Obwohl der Magen immer noch rumorte, entspannte ich mich und war erstmal zufrieden!

❧

MAN NEHME ...

... Miesmuscheln mit Pommes – für vier Personen.

2 Zwiebeln
1 Möhre
2 Stangen grünen Sellerie
in grobe Stücke schneiden.

Kurz in
20 g Butter
rösten und bei geschlossenem Deckel drei Minuten schwitzen lassen.

4 kg Muscheln
gründlich waschen und in den Topf geben.

1 Stange Lauch
1 Bund Petersilie
1 kleinen Zweig Thymian
1 Lorbeerblatt
oben auf die anderen Zutaten legen.

Ausreichend würzen mit
ca. 1 TL Curry
Salz und Pfeffer.

Übergießen mit
2 dl trockenem Weißwein.

Bei geschlossenem Deckel zum Kochen bringen. Die Muscheln mehrfach aufschütteln. Sie sind erst gar, wenn die Schalen offen sind.

Pommes nach Packungsanweisung zubereiten.
Als Ergänzung oder statt der Pommes empfiehlt sich Baguette.

Entdecken
Denke beim Kochen oder Essen mal darüber nach, wie vielfältig Gott
die Natur geschaffen hat: Miesmuscheln, Weintrauben, Kartoffeln,
Gewürze, Kaffee, Kakao ... und denke auch darüber nach, wie wunderbar es ist, dass wir all dies entdecken und wahrnehmen können.
Staune darüber, dass Gott uns die Freiheit und Kreativität geschenkt
hat, mit den verschiedensten Nahrungsmitteln zu experimentieren.

Alternative
für alle, die weder Muscheln noch Pommes mögen:
Belgische Pralinen und eine gute Tasse Tee oder Kaffee.

HIER UND JETZT

Ich verbringe wenig Zeit in der Gegenwart. Ich halte mich viel in der Vergangenheit auf, aber die übrige Zeit verbringe ich damit, mir Gedanken zu machen, was mich in der Zukunft erwartet.
—MACK IN »DIE HÜTTE«, SEITE 162

Später am Abend saß ich lange auf einer Bank gegenüber eines alten Theaters, das von der Abendsonne beschienen golden leuchtete. Oben auf dem Dach stehen ein knappes Dutzend griechischer Götter oder Musen. So genau weiß ich das nicht. Auf dem Kopf des Lyra-Spielers saß eine Taube. Eigentlich haben alle Figuren eine Art spitze Haarnadel auf dem Kopf, was die Tauben davon abhalten soll, dort zu landen. Die Tauben stört das wenig. Sie landen eben daneben. Ebenso ungerührt bleiben die Figuren. Die sind aus Stein. Es lässt sie kalt, was um ihren Kopf herum passiert.

Mir geht es anders. Ich weiß, dass es in der Regel leichter ist, Gott wahrzunehmen, wenn ich ruhig und entspannt bin. Aber ich finde es nicht so einfach, auszublenden, was mich umgibt. Selbst der Schmutz in der Wohnung hatte mich gestört. Es war nicht wirklich dreckig, aber man merkte es den Räumen an, dass seit Wochen niemand darin gewohnt hatte. Überall war Staub. Die nette Hausverwalterin hatte mich in gebrochenem Englisch gemahnt, es mit dem Putzen nicht zu übertreiben: »Do not clean so much as last time.«

Ich konnte es trotzdem nicht lassen. Vielleicht weil Nicht-Erledigtes ständig im Kopf rumort und mir sagt: »Da ist noch etwas zu tun.« Es fällt mir, wie vielen Menschen, schwer, tief zu entspannen und ganz präsent zu sein, wenn Stapel von Wäsche oder Papier, Einkaufslisten oder Schmutz an all das erinnern, was noch zu tun ist.

Man kann keine Ruhe in der Gegenwart finden, wenn der Kopf mit all den Dingen gefüllt ist, die in möglichst naher Zukunft erledigt werden sollten.

Da es sich beim Putzen der Wohnung um eine kleinere Aufgabe handelte und ich wusste, dass ich mich danach wohler fühlen würde, beschloss ich, sofort zu beginnen. Was weg ist, ist weg. Ich entdeckte eine Sprühdose mit der verheißungsvollen Aufschrift *Reinigt krachtig* und los ging's. Die Tische, Küchenoberflächen, der Kühlschrank und das Badezimmer wurden eingesprüht und dann im Schnelldurchgang gereinigt. Meister Proper wäre vor Neid erblasst. Zum Abschluss stellte ich eine einzelne Rose in eine schöne Vase.

Ich setzte mich ans Fenster, doch die ersehnte Ruhe trat nicht ein. Immer wieder stand ich auf, um noch etwas zu holen: ein Stück Schokolade, einen Stift, etwas zu trinken. Die Unruhe wirbelte noch durch meine Glieder wie zuvor der Wischmob durch die Wohnung.

Das lag auch daran, dass ich mit meinen Gedanken woanders war. Mir gingen Situationen aus der Vergangenheit durch den Kopf und ich fragte mich, ob ich nicht anders hätte handeln können. Ich grübelte, ob ich nicht besser dies oder jenes hätte tun sollen? Ob ich nicht etwas versäumt hatte? Ob ...

Und ich fragte mich, was die Zukunft wohl bringen und wie sich mein Leben wohl weiter entwickeln würde. Obwohl ich weiß, dass das nichts bringt. Die Vergangenheit kann ich nicht ändern. Und was die Zukunft bringt, kann man nicht durch Nachdenken herausfinden, sondern durch Entscheiden, Handeln und Weiterleben. Erst dann wird man es wissen und erfahren.

Wenn man konkret plant, was man tun will und wird, handelt man kraftvoll. Hinter dem endlosen Grübeln steckt jedoch meist Angst. Die Angst, dass das Leben nicht gelingen wird, weil man in der Vergangenheit einen Fehler gemacht hat. Der von Angst getriebene Versuch, herauszufinden, warum man Dinge nicht verhindern konnte. Oder die Furcht, die Dinge in der Zukunft nicht vollständig unter Kontrolle zu haben.

Da, wo Furcht ist, ist kein Raum für Gottes Liebe. Gottes Frieden kann man nur in der Gegenwart erleben. Gott ist ewig. Er war in der Vergangenheit. Er wird in der Zukunft sein. Aber er ist nur im Jetzt.

Deshalb können wir ihm auch nur im Hier und Jetzt begegnen. Es ist unmöglich, Gott im Jetzt zu begegnen, wenn man mit dem Kopf in der Vergangenheit steckt und über alte Fehler und Fehlentscheidungen nachgrübelt. Man kann nach Fehlern nicht wieder an den früheren Ausgangspunkt zurückkehren. Gott erwartet das auch nicht von uns – weil er besser als wir weiß, dass es unmöglich ist.

Niemand kann Geschehenes ungeschehen machen. Nicht einmal Gott. Man kann vergossenes Wasser nicht wieder auffangen. Was war, kann man nicht ändern. Aber man kann weitergehen. Selbst wenn man durch eigene oder fremde Fehler, Sünde und Dummheiten an einem Punkt im Leben gelandet ist, an dem man lieber nicht sein möchte, kann man nur von diesem Punkt aus weiter gehen. Nicht von dem Punkt aus, an dem man gerne wäre, sondern von dort, wo man gerade ist.

In dem Moment, wo man Gott sagt »Hier bin ich, geh bitte von hier aus mit mir weiter«, ist man innerlich wieder am richtigen Ort angekommen – an dem einzigen Ort, an dem man jetzt sein kann – nämlich da, wo man gerade ist. Von hier aus kann man weitergehen.

Ein Freund erklärte das mal so: Gott ist wie ein Navigationssystem. Wenn du einen Fehler machst, sagt er dir: »Bitte wenden.« Wenn du das aus irgendwelchen Gründen ignorierst oder nicht gleich darauf reagierst, akzeptiert er das ohne Nörgeln und Schuldzuweisungen.

Ist der Kurs gründlich falsch, meldet er sich durchaus mehrfach mit der Aufforderung zu wenden. Aber früher oder später sendet er die Botschaft: »Du bist nun, wo du bist. Die Route wird neu berechnet. Ich bin immer noch bei dir und führe dich von hier aus weiter.« Das Problem ist nicht Gott. Er hat die – für mich unfreiwilligen – Routenwechsel in meinem Leben schon längst akzeptiert und mein Leben neu in eine gute Richtung gelenkt. »Die Route wurde neu berechnet.« Das Problem bin ich. Mir fällt es ungemein schwer, eigene Fehler und ungewollte Veränderungen in meinem Leben zu akzeptieren.

Ich sitze wie ein ewig nörgelnder Beifahrer in meinem Leben und meckere mich an: »Du hättest besser aufpassen müssen! Hättest du das nicht vorher wissen können?! Sicher hast du irgendwo etwas falsch gemacht. Sonst wärest du jetzt vielleicht am Ziel deiner Träume.«

Manchmal klage ich auch das göttliche Navigationssystem an: »Wenn du als Allmächtiger ohnehin schon vorher wusstest, dass diese oder jene Route nicht zum erwünschten Ziel führt, warum hast du mich überhaupt losfahren lassen? Warum hast du keine Wegfahrsperre eingebaut, wenn du weißt, dass ich auf dieser Strecke nicht weiterkomme? Du hättest mir doch schon vor dem Losfahren sagen können, dass dieses oder jenes am Ende nichts wird.«

Diese Gedanken gingen mir durch den Kopf, als ich abends vor dem Einschlafen an den großen, hohen Fenstern saß und mit Gott ins Gespräch kam. Ich bat ihn, zu mir zu reden und mir zu zeigen, wie ich aus dieser doofen, nörgelnden Beifahrerrolle herauskommen könnte. Ich ging fast heiter schlafen – zuversichtlich, dass mein Gott und ich schon einen Weg finden würden.

In der Nacht hatte ich einen Traum: Ich war mit meiner Kultur liebenden Freundin Rosemarie und einem gemeinsamen Freund ins Kino gegangen. Vorher hatte ich den beiden mitgeteilt, dass ich mich nicht festlegen wollte, ob ich hinterher noch etwas mit ihnen trinken gehen würde. Das wollte ich dann lieber spontan entscheiden. Ob der Traum etwas mit meiner Frage zu tun hatte, wie ich aus der nörgelnden Beifahrerrolle herauskommen könnte? Ob Gott mir damit vielleicht sagen wollte, dass es gut für mich wäre, wenn ich mir nicht länger gedanklich alle Optionen offen halten und sie durchspielen würde?

Für die Vergangenheit macht Grübeln keinen Sinn – sie war nun einmal, wie sie war. Alle Möglichkeiten durchzuspielen, wie es anders hätte sein können, ändert nichts. Doch auch in Bezug auf die Zukunft raubt es weit mehr Kraft, sich ständig alle Optionen offen zu halten, als sich klar zu entscheiden, was man tun wird.

Wenn man sich gedanklich alle Optionen offen hält, gleicht das Leben einem Haus, in dem alle Fenster und Türen offen sind – es zieht gewaltig und ist weder gemütlich noch sicher. Wer so lebt ist innerlich nie im Jetzt, sondern mit dem Kopf ständig woanders. Die Vergangenheit, so wie sie war, zu akzeptieren und die Zukunft klar zu gestalten ist eine weit weniger kraftzehrende Art zu leben. Wenn das nur so einfach wäre ...

☙

KLEINE WEISHEIT

Du kannst Gott nur da begegnen, wo du bist – nicht da, wo du lieber wärest.

MAN NEHME ...

... Putzzeug.

In unaufgeräumter Umgebung fällt es vielen Menschen schwer, ruhig zu werden und Gott nahe zu kommen. Welches Gerümpel im Flur, welcher Kram, welche unaufgeräumten Ecken in deiner Wohnung stören dich schon lange und nehmen dir etwas von der Ruhe, die du dir für die Begegnung mit Gott wünschst? Weg damit.

... einen Zettel und einen Stift.

Manchmal sind es weniger die praktischen Dinge, sondern vielmehr Unerledigtes aus Beziehungen, das uns unterschwellig beschäftigt und Energie raubt. Oder die nörgelnden Gedanken des inneren Beifahrers, die entsorgt werden sollten.
Überlege: Was beschäftigt mich schon lange? Was will ich klären, bereinigen? Wo lässt mein innerer Beifahrer mich nicht in Ruhe? Schreibe es auf und komme mit Gott darüber ins Gespräch oder überlege, wann du es angehen willst.

TAG 2
BESTANDS AUFNAHME

TAG 2
NICHT ALLES
IST ABGEBRANNT

Es ist paradox, aber wenn ich mich so akzeptiere,
wie ich bin, dann kann ich mich verändern.
—Carl Rogers

In der barocken Kirche Carolus Borromeus hatte es weniger als einen Monat vor meiner Reise gebrannt. Beim Betreten schlug mir eine Mischung aus Brandgeruch durchsetzt mit Weihrauch und Staub entgegen. Neben dem Eingang informierte eine Tafel über das Geschehen. Sie wirkte auf mich wie die Zusammenfassung eines guten Coachinggespräches. Zuerst stand da, was geschehen und wer beteiligt gewesen war: der Küster, der den Brand bemerkt hatte, die Feuerwehr und die vielen freiwilligen Helfer, die das Schlimmste verhindert hatten.

Anschließend wurde aufgelistet, was *nicht* zerstört worden war: Der Boden und die wertvollen Kunstschätze waren intakt geblieben. Bei einem früheren Brand hatte die Kirche nicht so viel Glück gehabt. Damals waren das gesamte historische Tonnengewölbe und 38 Deckengemälde von Rubens dem Feuer zum Opfer gefallen.

Also die gute Nachricht zuerst: So schlimm wie damals war es diesmal nicht. Darauf folgte die Schilderung der Zerstörung: Wasserschäden an den historischen Kassettendecken und Brandschäden an einigen Altarumfassungen und einer Kanzel.

Darunter folgte einen konkrete Zielsetzung: Bis 2010 sollten die Renovierungsarbeiten abgeschlossen sein und die Orgel sollte ebenfalls restauriert werden. Schließlich stand dort noch, wer die jeweiligen Maßnahmen durchführen würde. Wären die Verantwortlichen für die Wiederherstellung der Kirche meine Coaching-Kunden – ich wäre stolz auf sie. Saubere Analyse und Planung. Und die Anerkennung dessen, was noch erhalten und was gut ist.

Ich frage Menschen in Coachinggesprächen oft, was denn gut an der Situation ist, für die sie sich Veränderung wünschen. Ich tue das nicht, um krampfhaft das Gute in einer schlechten Situation zu suchen. So wie manche Menschen beschwichtigend sagen: »Vielleicht hat das ja auch etwas Gutes«, wenn andere ihnen von ihren Problemen erzählen.

Dahinter steckt der meist wenig hilfreiche Versuch, Schmerz schnell oberflächlich abzudecken und sich nicht weiter darauf einzulassen. Kurzfristig mag es sogar wirken. Denn für einen Moment spürt der traurige Mensch seinen Schmerz nicht mehr. Er ist stattdessen einfach nur wütend.

Verkrampftes Suchen nach dem Guten in einer schwierigen Situation halte ich in den meisten Fällen für unnatürlich und gezwungen. Aber ich erlebe es auch oft, dass Menschen nur noch das Schlechte sehen und dabei den Blick für das tatsächlich vorhandene Gute verlieren. Wenn ich sie frage: »Was an der Situation soll denn so bleiben, wie es ist, weil es gut ist?«, entdecken sie plötzlich Dutzende von Dingen, die ihnen wertvoll und wichtig sind.

Notwendige Veränderung kann man leichter angehen, wenn man verstanden hat: »Ah, es ist ja nicht alles schlecht, sondern nur ...«, »Ich muss nicht alles verändern, sondern nur ...« und »Es ist nicht alles abgebrannt, sondern nur ...« Das entlastet. Von daher glaube ich, dass das Leben vor die Veränderung eine Bestandsaufnahme gestellt hat.

Später in einem Bistro bei einer leckeren Dagsoup – die Belgier kochen herrliche Suppen – aus Spinat und Gewürzen mit knackigen Baguettebrötchen mit Butter Nazareth ließ ich die Eindrücke noch einmal Revue passieren.

Unwillkürlich musste ich an meine Freunde Henk* und Henriette denken. Etwa ein Jahr zuvor hatten wir in Berlin zusammen bei einem Kaffee gesessen.

Sie hatten offen von ihren Eheproblemen gesprochen. Damals bat ich sie, mir zuerst einmal zu sagen, was an ihrer Ehe noch gut war, bevor sie mir die Probleme im Detail erzählten.

Sie listeten auf, was »vom Brand nicht zerstört worden war«: »Wir vertrauen uns. Wir können offen über alles reden. Wir können miteinander lachen. Wir unternehmen gerne Dinge miteinander. Wir haben Sex miteinander, manchmal sogar richtig guten. Wir machen manchmal besondere Dinge zusammen.« An dieser Stelle konnte ich mir trotz der ernsten Situation das Lachen kaum verkneifen. Sie beschrieben die beste schlechte Ehe, von der ich je gehört hatte!

Als ich das anmerkte, meinten sie, dass ihr Eheberater das auch immer gesagt habe. Er hätte die Qualität ihrer Ehe auf einer Skala von 1 für »miserabel, kurz vor Mord und Totschlag«, bis 10 für »der reinste Traum« bei 7 angesiedelt. Das Tragische daran war, dass sie es selbst nicht so empfanden. Ihr Blick war so sehr auf das gerichtet, was sie in ihrer nunmehr 30 Jahre währenden Ehe vermissten, dass sie das Gute zwar sahen, es aber nicht fühlen und spüren konnten.

Dennoch blieben sie dran und versuchten, Wege zu finden, das Fehlende zu ergänzen. Der Eheberater unterstützte sie dabei, die schmerzhaften Aspekte in ihrer Beziehung anzugehen. In dieser Zeit hatten sie viele Aha-Momente, in denen sie dankbar feststellten, was sich in ihrer Beziehung schon entwickelt und zum Positiven verändert hatte. Sie entdeckten mehr und mehr die in ihrer Beziehung vorhandenen Schätze und lernten sich tiefer verstehen und gelassener akzeptieren.

Eines Tages warf der Berater sie freundlich raus, weil er ein Paar, dem es so gut ging, nicht weiter beraten wollte. Vor einigen Wochen schickten sie mir einige Fotos von ihrem diesjährigen Urlaub, von dem sie sagten, dass er der beste war, den sie in 30 Jahren Ehe erlebt hatten. Es waren abenteuerliche, fröhliche Bilder und romantische. Auf einem waren sie zu sehen, wie sie sich – einander tief in die Augen schauend – küssten. »Ihr seht ziemlich verliebt aus«, mailte ich ihnen. »Seid ihr es auch?« »Wir sind es!!!« schrieb Henriette mir glücklich zurück.

Während ich da saß, meine Suppe löffelte und an meine Freunde dachte, erwischte mich die Frage nach dem Guten in der Situation selbst. Ich fragte mich: Was an meiner Beziehung zu Gott soll so bleiben, wie es ist, weil es gut ist?

Ich fand folgende Antworten: Gut ist, dass ich meistens glauben kann, dass Gott gut ist – auf eine Art und Weise, die tiefer geht als mein Verstehen oder Nicht-Versehen. Gut ist, dass ich Freunde habe, mit denen ich offen über meine Zweifel und Fragen reden kann. Freunde, die mich unterstützen und für mich beten.

Gut ist, dass ich Gott manchmal erlebe. Nicht dramatisch. Keine großen Wunder. Aber immer wieder mal kleine, wundersame Führungen. Gut ist, dass ich Gottes Buch kenne und mag und ab und zu erlebe, dass mich Texte daraus ansprechen und berühren. Gut ist, dass ich oft die Bücher finde, die für meine aktuellen Entwicklungsschritte hilfreich und wichtig sind. Gut ist, dass ich ehrlich mit Gott bin und ihm nichts vormache. Gut ist, dass ich in den letzten Jahren gelernt habe, Gefühle klarer zu spüren und auszudrücken – auch Gott gegenüber. Gut ist, dass ich manchmal Gottes Nähe spüren kann.

Gut ist, dass ich einige Rituale entwickelt habe, die mir die Begegnung mit Gott erleichtern. Gut ist, dass ich Gott mittlerweile an den unterschiedlichsten Orten entdecken kann – weit über traditionell religiöse Orte hinaus. Es ist sogar oft so, dass ich ihn »woanders« intensiver wahrnehme. Gut ist, dass ich mir täglich etwas und zu besonderen Anlässen ausgedehnt Zeit nehme, um Gott zu begegnen.

Beim Blick auf die Liste berührte mich am tiefsten, dass ich sehr oft genau die richtigen Bücher entdecke, die ich für die nächsten Entwicklungsschritte brauche. Ich bin nun mal ein Mensch, der viel durch inspirierende Bücher lernt. Ich könnte in diesen hilfreichen Entdeckungen den Zufall sehen, wenn ich wollte. Das wäre auch okay. Ich hege jedoch den Verdacht, dass mein guter Gott mir augenzwinkernd das eine oder andere Buch in den Weg legt, weil er meine Entwicklung unterstützten möchte.

Entwickeln ist auch so ein schönes Wort. Es beinhaltet das Bild von einem Menschen, der in alle möglichen Schichten eingewickelt worden ist und der sich Schicht um Schicht davon löst, sich auswickelt, sich entwickelt und entwickelt wird.

Ja, ich wollte mich weiter entwickeln. Die Qualität meiner Beziehung zu Gott hätte ich zu diesem Zeitpunkt etwa bei 6-7 eingeordnet. Schwankend. Je nach Tagesform. Ja, ich sehnte mich nach mehr Intimität, nach mehr Herzensbegegnung zwischen Gott und mir.

Nach Antworten auf Fragen, die mich seit Jahren beschäftigten und irritierten. Nach der Lösung von Knoten in meinem Inneren. Nach mehr Leichtigkeit und Entspanntheit in der Beziehung zu ihm. Mehr Leidenschaft und Wärme.

Wenn ich es so recht betrachtete, führten mein Gott und ich eine der besten schlechten Beziehungen, die man sich denken kann. Wir begegneten uns. Manchmal war das sogar richtig schön. Und wir redeten miteinander. Mein Gott und ich.

☙

KLEINE WEISHEIT

Es tut gut, nachzusehen, was noch steht, bevor du dich daran machst, dein Haus (des Glaubens) zu erneuern.

MAN NEHME ...

... einen Zettel und einen Stift.

Schreibe auf den Zettel »Was soll in meiner Beziehung zu Gott so bleiben, wie es ist, weil es gut ist?« Liste mindestens 10 kleine oder große Dinge auf, wenn du möchtest, auch gerne 20 oder 30.

Hinweis: Eine klare Zielvorgabe ist hilfreich, weil das Gehirn in der Regel etwas faul ist. Die zahlenmäßige Herausforderung führt dazu, dass man weiter fragt und so Dinge findet, die man aus Bequemlichkeit sonst nie entdecken würde.

VERANTWORTLICH
HANDELN

Wenn wir Gott fragen: »Warum greifst du bei so viel Leid nicht ein?«
fragt er zurück: »Wieso ich? Warum nicht du?«
—KERSTIN HACK

An diesem Tag gingen meine Gedanken oft zu Bill und Amy S. und ihren Kindern. Ich mochte die beiden warmherzigen, lebhaften Referenten, die ich vor etwa zehn Jahren auf einer Konferenz kennen gelernt hatte, spontan – nicht zuletzt, weil sie sich zu Beginn ihres Vortrags bei den Zuhörern für das unsensible Verhalten anderer Amerikaner entschuldigten. Wow!

Obwohl wir uns seither nicht mehr begegnet waren, hatten wir per Rundmails Kontakt gehalten, uns ab und zu persönlich geschrieben und waren uns im Herzen verbunden geblieben. Ein Jahr zuvor hatte ich mit ihnen gejubelt, als sie nach glücklicher, aber lange kinderloser Ehe völlig überraschend zwei Kleinkinder adoptieren konnten. Bei unserer ersten Begegnung hatten wir Gott gebeten, ihnen Kinder zu schenken. Wie groß war die Freude, als sich ihr tiefer Wunsch nach so langer Zeit erfüllte!

Dann geschah das Tragische. Zwei Monate vor meiner Reise wurde bei dem intelligenten, weitsichtigen Bill ein Hirntumor diagnostiziert, der mutierte, rasch bösartig wurde und sich aggressiv ausbreitete. Zwei Wochen vor meiner Abreise bat Amy ihre Freunde um Gebet für Bill, weil sich der Tumor auf das Gedächtnis und die Wortfindung auszuwirken begann – für ihn als Autor eine Katastrophe. Dann ging alles sehr schnell. Direkt vor meiner Abreise nach Antwerpen erhielt ich die Nachricht, dass Bill am Abend zuvor gestorben war.

Ich weinte den ganzen Morgen beim Packen, konnte nicht aufhören. Bill, der so warmherzig, humorvoll und voller Visionen war – tot. Unfassbar schmerzhaft. Für alle, die ihn kannten und liebten, aber unbeschreiblich schmerzhafter für Amy und die Kinder.

Trotz der tiefen Trauer, die ich spürte, war ich überrascht über meine Reaktion. Noch vor wenigen Jahren hätte ich die Trauer kaum wahrgenommen und zugelassen, sondern mich vielmehr in Fragen und Anklagen geflüchtet, weil Gedanken nicht so weh tun wie echter Schmerz. Ich hätte viel gefragt: »Warum? Warum hat Gott das zugelassen?« Vermutlich hätte ich Gott auch Vorwürfe dafür gemacht, dass er die junge Familie im Stich gelassen und nicht eingegriffen hatte.

Nun reagierte ich ganz anders. Ich ließ den Schmerz und die Trauer zu und weinte viel. Ich versuchte nicht, das Unverständliche zu verstehen und schob es Gott auch nicht anklagend in die Schuhe. Wenn ich mir Gedanken machte, dann darüber, wie ich das Leid, das die Familie erlebte, ein wenig lindern könnte.

Diese Veränderung hatte ihren Ausgangspunkt ebenfalls in Antwerpen gehabt. Im Herbst 2006 war ich mit meiner Freundin Birgit für einige Tage zum gemeinsamen Schreiben und zur »Freundinnen-Zeit« nach Antwerpen gefahren. Zu diesem Zeitpunkt ging es meinem Verlag wirtschaftlich sehr schlecht. Die Situation war so anstrengend und schwierig, dass meine mitfühlende Freundin mir sogar geraten hatte, die Selbstständigkeit aufzugeben und nach anderen Einkommensquellen Ausschau zu halten.

In einer Schreibpause lief ich alleine durch die schmalen Straßen rund um das Rubenshaus, in denen ein schöner Laden mit attraktiven Angeboten sich an den nächsten reiht. Mode. Krimskrams. Schmuck und Einrichtungsgegenstände. Ich brauchte gar nicht darüber nachzudenken, ob ich mir etwas kaufen wollte, weil mir das Geld dafür ohnehin fehlte. Das frustrierte mich ungemein.

Zurück in der Wohnung verkündete ich der überraschten Birgit, dass ich genug davon hatte, am Existenzminimum herumzukrebsen und dass ich das ab sofort nicht mehr hinnehmen, sondern ändern würde. Ich bat Gott, mir dabei zu helfen. Gott muss dieses Gebet wohl ernst genommen haben. Er antwortete, allerdings mal wieder anders als ich es erwartet hatte – eben auf seine Art.

Bis zu diesem Zeitpunkt hatte ich immer gehofft und erwartet, dass er für meine Firma und mein Einkommen sorgen würde. Schließlich steht ja in der Bibel, dass Gott Hirte, Vater, Versorger und vieles mehr ist. So war ich mehr als einmal bitterlich von ihm enttäuscht, wenn ich finanziell ums Überleben kämpfte. Ich konnte nicht verstehen, warum Gott nicht eingriff, nicht für mehr Kunden und Verkäufe sorgte. Ich dachte, er hätte mich im Stich gelassen.

Viel Leid in Beziehungen – sowohl mit Menschen als auch mit Gott – entsteht häufig durch Erwartungen, die man an den anderen hat und die dieser nicht erfüllen möchte oder kann. So konnte Mack in *Die Hütte* nicht verstehen, warum Gott seine Tochter nicht beschützt hatte. Er hatte das von Gott erwartet. Diese Erwartung wurde enttäuscht und machte es ihm schwer zu vertrauen.

Manche Erwartungen, die wir an Gott haben, sind grundsätzlich falsch. So verweigert sich Jesus zum Beispiel einmal der Erwartung seiner Jünger, er solle Feuer auf die Menschen regnen lassen, die sich seiner Botschaft widersetzen. Ganz so offen wie die Jünger formulieren wir unsere Rachegedanken eher selten, doch wer hat sich nicht schon mal gewünscht, Gott möge einem fiesen Zeitgenossen einen gehörigen Denkzettel verpassen. Diese Erwartungen bedient Gott nicht – er lässt sich nicht als Handlanger für unsere ungelösten Konflikte missbrauchen.

Doch andere Erwartungen, die wir an Gott haben, gründen sich auf Dinge, die er uns versprochen hat – wie etwa die Erwartung, dass Gott versorgt. Aber gelegentlich sind unsere Vorstellungen davon, wie er diese berechtigte Erwartung erfüllen soll, weit von dem entfernt, was er tatsächlich tun möchte.

So war es bei mir. Ich hatte erwartet, dass Gott dafür sorgen würde, dass meine Firma erfolgreich wäre. Kurz nach meinem Gebet in Antwerpen erzählte ich meiner Freundin Brigitte von meiner Enttäuschung über Gottes scheinbares Nicht-Eingreifen in meinem Leben. Sie ist einer der wärmsten und mitfühlendsten Menschen, die ich kenne. Aber auch einer der klarsten und direktesten. Sie sagte: »Die Haltung, die du da an den Tag legst, ist verkehrt. Du erwartest etwas von Gott, was nicht seine Verantwortung ist, sondern deine.« Das saß. Wie ein Fausthieb in den Magen.

Ich wusste, dass sie Recht hatte, und verstand: Gott wollte meine Firma nicht für mich führen, sondern mit mir. Ich entschied mich: Von nun an würde ich nicht mehr erwarten, dass Gott alles für mich macht, sondern selbst meine Firma verantwortlich führen. Nicht im Sinne von »Hilf dir selbst, dann hilft dir Gott.«, sondern eher in dem Sinn, dass ich kein kleines Kind mehr bin, für das Papa Gott alles tun müsste. Ich bin vielmehr erwachsene Tochter, die aktiv und verantwortlich handelt – und dabei im engen Dialog mit ihrem himmlischen Vater steht.

Mein eigener Vater ist selbst Unternehmer und kann relativ gut beurteilen, wie viel Potenzial in Menschen steckt. Oft hat er mir geholfen und mich unterstützt, wenn er wusste, dass ich seine Hilfe brauchte. Wo es nötig war, hat er mich jedoch auch sehr herausgefordert.

Als ich mehrmals hintereinander miserable Noten in Lateinarbeiten nach Hause gebracht hatte, zwang er mich ein Wochenende lang von morgens bis abends zu lernen. Ich fand das furchtbar und schrieb in mein Tagebuch, wie schrecklich mein Vater sei. Dann paukte ich von früh bis spät Vokabeln und Grammatik, was das Zeug hielt. Und schrieb in der nächsten Arbeit eine bessere Note. Jahre später erklärte mein Vater mir: »Ich wusste, dass du es schaffen würdest, so hart zu büffeln – ich habe es dir zugetraut.« Wenn schon mein irdischer Vater weiß, wie viel Potenzial in mir steckt, das auf Entfaltung wartet, wie viel mehr Gott, mein himmlischer Vater.

Kurze Zeit nach der Entscheidung, mehr Verantwortung zu übernehmen, träumte ich nachts von fantastischen Umsätzen. Beim Aufwachen kam die Ernüchterung. Es war leider nur ein Traum. Die Realität war von dem Erträumten weit entfernt. Früher hätte ich einen derartigen Traum möglicherweise als wasserdichte göttliche Zukunftsprognose gewertet, als feste Zusage dessen, was unweigerlich geschehen würde. Als letztes Wort der höchsten Instanz. Ich hätte weiter geträumt, dass es sich von selbst erfüllen würde.

Doch Gott spricht nicht in erster Linie zu seinen Kindern, um seine Allwissenheit über die Zukunft zu demonstrieren. Seine Impulse wollen zur Kommunikation und Interaktion anregen. Ich ahnte damals: Er ist ein Vater, der das Potenzial seiner Kinder sieht und sie – vielleicht auch durch Träume wie diesen – ermutigen will.

Vielleicht will er uns sagen: »Ich weiß, was in dir steckt, ich traue dir das zu. Du hast das Zeug dazu.« Eine Stelle in der Bibel beschreibt dies: »Du sollst an den HERRN, deinen Gott, denken, dass er es ist, der dir Kraft gibt, *Vermögen* zu schaffen.«[8] In diesem Text geht es in erster Linie um ganz reale irdische Reichtümer, aber der Begriff Vermögen beinhaltet mehr als Materielles. Vermögen hat ganz allgemein mit dem zu tun, was ein Mensch zu tun vermag und über welche Fähigkeiten er verfügt. Hier kommt zum Ausdruck, dass Gott eben auch ein Trainer ist, der unser Vermögen fördern will und uns herausfordert, weil er weiß, was in uns steckt.

't Houten Huizeke
MARIEKE BAERT

Natuurleder

Kammenstraat40	Bacob 789-5184432-91
2000 Antwerpen	BTW BE 502 119 510
Tel. 03/232 61 06	HRA 22 15 76

In den folgenden Jahren erlebte ich, wie sich der Traum langsam erfüllte. Die Zahlen sind heute nicht mehr so unendlich weit vom Traumziel entfernt wie noch 2006. Ich freute mich, dass ich nun an den kleinen Läden in der Nähe des Rubenshauses nicht mehr frustriert vorbeilaufen musste, sondern mir das eine oder andere leisten konnte – wie die neue Laptoptasche, die ich dringend brauchte.

Mehr noch freute mich die innere Veränderung und das Entdecken meiner Stärken. Ich war mittlerweile gern Unternehmerin. Leidenschaftlich gern. Meine Firma blühte auf. Ich übernahm Verantwortung und erlebte Gott als Beistand, der mit mir ging, aber mich nicht entwürdigte, indem er mir das Handeln abnahm.

Meine tiefe Enttäuschung von damals hatte sich in Dankbarkeit verwandelt. Ich war Gott dankbar dafür, dass er meine ernsten, aber kindischen Erwartungen und Gebete, er möge mich versorgen, indem er meine Firma für mich führte, nicht erhört hatte. Dass er mir vielmehr – wie mein Vater – zugetraut und zugemutet hatte, selbst zu lernen, wie es geht. Er hatte mich versorgt – indem er mir beibrachte, wie ich für mich sorgen kann – und für andere. Gott will nicht alles für uns tun, sondern traut uns zu, dass wir verantwortlich handeln – so wie wir es auf dem Herzen haben.

---

8   5. Buch Mose, Kapitel 8, 18

Wenn wir ihn fragen: »Warum tust *du* nichts?«, fragt er oft zurück: »Was kannst *du* tun, um das Leid zu lindern?« Und: »Was möchtest *du* gern tun?« Mir taten Bills Kinder leid, die nun keinen Vater mehr haben, der für sie da ist und mit ihnen spielt. Mich bewegte auch, dass er nun nicht mehr für ihre Ausbildung sorgen kann. Allein erziehende Mütter sind besonders von Armut bedroht. Das wirkt sich auch auf die Bildungschancen ihrer Kinder aus.

Mir wurde klar, was ich gern tun wollte: Ich würde einen Teil des Erlöses dieses Buches in einen Ausbildungsfonds für die beiden anlegen. Vom Bücherschreiben wird man in der Regel nicht reich, aber eine kleine Summe, für die nächsten 15 Jahre angelegt, könnte ihnen beim Start in die Ausbildung helfen. Ich wünschte mir, dass sie so sagen könnten: »Gott hat uns nicht alleine gelassen. Er hat uns geholfen. Durch einen Menschen.«[9]

❧

KLEINE WEISHEIT

Enttäuschung über Gott hat möglicherweise damit zu tun, dass man etwas von ihm erwartet, was er – in dieser Weise – gar nicht tun will.

MAN NEHME …

… einen ehrlichen Freund oder eine ehrliche Freundin, die dich gut kennen.

Frage deinen Freund/deine Freundin: Wo, glaubst du, erwarte ich Dinge von Gott, bei denen er möglicherweise von mir erwartet, dass ich sie selbst tue? Wo hast du bisher gesagt: Warum greift Gott hier nicht ein? Frage dich nun selbst: Was kann und möchte *ich* tun, um diese Not zu lindern?

---

9 Wenn du zum Ausbildungsfonds für Caroline und Eli beitragen möchtest, kannst du mich kontaktieren: info@down-to-earth.de

FÜHLEN LERNEN

Er ist zu einem der seltenen Menschen geworden,
die sich wirklich in sich zu Hause fühlen.
—Ein Freund über Mack in »Die Hütte«, Seite 14

Antwerpen hat rund um den Hafen eine kostenlose W-LAN-Zone angelegt, um junge Kreative anzulocken. Dort hatte ich zu Beginn meiner Reise festgestellt, dass 51 Mails in meinem Posteingang warteten. Die meisten wegen eines technischen Problems, das ein Mitarbeiter hatte. Dann brach die Verbindung ab. Ich hatte vorgehabt, mich in dieser Zeit mit Gott so wenig wie möglich um geschäftliche Dinge zu kümmern, aber Mitarbeiter mit doofen technischen Problemen – ohne Rückmeldung – alleine zu lassen, fand ich ziemlich daneben.

Also machte ich mich an diesem Tag noch einmal auf den langen Weg zum Hafen. Dort weht fast ständig mittelstarker Wind von der See her. Ich musste meinen Laptop festhalten, um ihn nicht zu verlieren. Ich verstand nun, warum das gute Stück Macbook Air heißt – bei Wind fliegt es fast davon. Ich versuchte eine Stunde lang vergeblich, ins Netz zu kommen. So kann man junge Kreative auch vertreiben.

Was tun? Irgendwo in der Altstadt kannte ich ein kleines Internet-Café. Als ich es nach 90 Minuten Suche endlich gefunden hatte, begrüßte mich ein Zettel, auf dem die Inhaber zur Abschiedsparty einluden. Der Zettel war zwei Monate alt. Ich wusste keinen Rat mehr und war frustriert.

Weil ich keine Lösung fand, ging ich einfach ziellos durch die Straßen, genoss die Stimmung in den beleuchteten, schmalen Gassen und sah den Menschen zu, die in den zahllosen kleinen Restaurants zu Abend aßen.

In einem Café sah ich eine Kellnerin mit Laptop an einem Tisch sitzen. Ich stürzte mich fast auf sie: »Haben sie hier Internet?« »Ja, klar, hier gibt es ein offenes Netz, das können Sie nutzen!« Kaum hatte ich mich gesetzt und meinen Computer aufgeklappt, war schon die Internet-Verbindung hergestellt. Wow! Aus den Lautsprechern des Cafés ertönte Ben Harpers »I am so blessed« – Ich bin so gesegnet. So fühlte ich mich auch. Ich klärte das technische Problem mit dem Mitarbeiter, überflog bei Kerzenschein und einem Glas Wein die anderen Mails und blieb dann noch eine Weile im Café sitzen und las. Erleichtert. Entspannt und dankbar.

Als ich ging, sagte ich der Kellnerin noch, wie glücklich sie mich gemacht hatte. Wie erleichtert ich war, das Problem gelöst zu haben. Welche Last sie mir abgenommen hatte. Sie strahlte übers ganze Gesicht. Ich strahlte zurück. Ich genoss dieses geballte Bündel an Emotionen, das da zwischen uns hin und her floss. Vor ein paar Jahren hätte ich nicht so viel Emotion gespürt oder gar gezeigt. Ich hätte wahrscheinlich »Danke!« oder maximal »Danke, das war echt nett.« gesagt. Aber ich hätte wenig von dem mitgeteilt, was mich im Innersten bewegt.

Derek, in dessen Wohnung ich gerade wohnte, hatte ich acht Jahre vorher kennen gelernt. Andrew[10], ein Freund, hatte mir von ihm erzählt. Derek war am 10. September 2001 ziemlich spontan von London nach New York geflogen, weil er empfand, dass Gott ihm sagte, es sei wichtig, dass er dorthin ginge. Er landete am frühen Morgen des 11. September in der Stadt.

Nach den Anschlägen auf das World Trade Center war er wochenlang in den Straßen New Yorks unterwegs. Er sprach und betete mit Menschen, tröstete verwirrte und verzweifelte Teenager und verarbeitete abends seine Erfahrungen in Gedichten. Er blieb sieben Wochen lang in New York (während sein Auto in der Kurzzeitparkzone am Londoner Flughafen stand!). Für mich war es inmitten der Tragödie des 11. September ungemein tröstlich zu wissen, dass Gott seine Leute dorthin gesandt hatte, um anderen in ihrem Schmerz zu helfen und ihnen beizustehen. Er hatte die Menschen nicht allein gelassen.

---

10 www.tallskinnykiwi.com

Einige Wochen nach den Anschlägen riefen Andrew und Derek mich an. »Wir wollen unbedingt ein Buch aus unseren Texten machen. Würdest du es verlegen? Kannst du das gleich entscheiden?« »Ähm ... Wie bitte? Ja!«

Aus dem Buch wurde nie etwas, aber einige Zeit später tauchte Derek in Berlin auf. Wir verbrachten drei interessante Wochen mit vielen Begegnungen. Immer wieder warf der ausgesprochen feinfühlige Derek mir vor: »Du fühlst nicht mit!« und immer wieder protestierte ich, war irritiert und verstand nicht, was er meinte. Derek war ebenso verzweifelt wie ich, weil die Kommunikation nicht gelang. Aber wir schätzten uns sehr, so dass wir nicht aufgaben, obwohl es ungemein anstrengend für uns beide war.

Erst Wochen nach Dereks Berliner Zeit fiel bei mir der Groschen. Ein Freund schenkte mir überraschenderweise einen Strauß Blumen. Ich nahm ihn, bedankte mich artig und dachte: »Das ist ja nett.« Plötzlich verstand ich, was Derek gemeint hatte. Ich *dachte* »Das ist nett.«, aber ich *fühlte* kaum etwas. In meinen Emotionen regte sich fast nichts.

Das war für mich der Beginn einer langen Reise mit dem Ziel, intensiver fühlen zu lernen. Manchmal stand ich auf meinem Balkon und übte zu spüren. Ich fragte mich: »Was fühle ich jetzt?« und empfand fast nichts. Ich machte eine Radtour durch wunderschöne Landschaften und fühlte fast nichts. Doch im Lauf der Zeit lernte ich, meine Emotionen besser wahrzunehmen und intensiver zu fühlen. Ich entdeckte den Reichtum der Emotionen und genoss es immer mehr, um meine Gefühle nicht nur zu wissen, sondern sie tatsächlich zu empfinden.

Viele Menschen leiden darunter, dass sie in ihrer Beziehung zu Gott so wenig spüren. Glaube gründet sich nicht auf Gefühle, sondern auf Gottes Reden, Handeln und sein Wort. Aber wenn das Herz auf Dauer kalt bleibt, ist es sehr schwierig, eine lebendige Beziehung zu führen. Es ist jedoch unrealistisch zu erwarten, dass man Gott gegenüber tiefe Empfindungen hat, wenn die eigenen Emotionen in weiten Bereichen nicht lebendig sind. Wenn auf einem Klavier nur drei Tasten klingen, die andern jedoch blockiert sind, dann kann auch ein Meisterpianist kein großartiges Konzert darauf spielen.

Genauso wenig kann Gott in der Beziehung zu ihm plötzlich Töne zum Klingen bringen, die in der Seele eines Menschen blockiert sind.

Gelegentlich greift er wundersam und übernatürlich in die Emotionen ein, aber in den meisten Fällen respektiert er den Raum, der emotional in einem Menschen da ist, und füllt diesen aus. Ist dieser emotionale Raum nur sehr klein oder sind Emotionen blockiert, dann kann Gott auch nicht viel hineinfüllen. Das traurige Ergebnis: Man fühlt nur wenig in der Begegnung mit Gott.

Deshalb kann es – auch für die Beziehung zu Gott – hilfreich sein, eigenen Gefühlen mehr auf die Spur zu kommen, sie zu wecken und zum Schwingen zu bringen. Man kann Emotionen ebenso durch Wahrnehmung und Gebrauch ausdehnen und stärken wie Muskeln. Das muss nicht unbedingt durch die Begegnung mit einem unkonventionellen amerikanischen Freund geschehen, so wie ich es erlebte.

Das kann durch achtsames Hinspüren geschehen und die Entscheidung, Gefühle, da wo es angemessen ist, mehr und direkter zu zeigen. Auch Menschen, die uns gefragt oder ungefragt einen Spiegel vorhalten, können hilfreich auf dieser inneren Entdeckungsreise sein. Genauso wie Menschen, die man ganz gezielt um Begleitung bittet.

Darüber hinaus kennen die verschiedensten kirchlichen Traditionen geistliche Übungen und Exerzitien, die dabei helfen, das eigene Herz zu erforschen, zu spüren und dann das, was uns bewegt, das Wahrgenommene zu Gott zu bringen. Auch emotional gibt Gott uns die Kraft, Vermögen zu schaffen[11], den ganzen Reichtum unserer inneren Welt zu entdecken und zu entfalten. Dieser Prozess, der meist eine Weile dauert, lohnt sich: Wer sein Herz kennt und spürt, kann in einen tieferen, erfüllenderen Herzensdialog mit Gott und anderen Menschen treten.

Selbst zu spüren, was einen bewegt, ist eine Sache. Dies auch Gott und anderen Menschen zu zeigen, noch eine andere. Deshalb sind Begegnungen wie die mit der netten belgischen Kellnerin so kostbar, weil es mir gelang zu kommunizieren, was ich in diesem Moment empfand: »Sie haben mich gerade glücklich gemacht. Ich bin dankbar und erleichtert.« In solchen Begegnungen erlebe ich, dass eine Mitteilung von Herz zu Herz auch beim anderen weit mehr bewegt als ein reines »Danke«.

---

11 5. Buch Mose, Kapitel 8, 18

Auf dem Heimweg vom Café sprach ich mit Gott und versuchte auszudrücken, was mich gerade bewegte: »Wenn ich auf die letzten Jahre zurück blicke, dann staune ich. Ich spüre Schmerz, weil ich Angst und Misstrauen in mir wahrnehme, was unsere Beziehung vergiftet. Doch ich sehe auch, wie viel Gutes zwischen dir und mir trotz alledem da ist. Das freut mich und gibt mir ein Gefühl von Dankbarkeit. Ich bin stolz auf das, was ich in den letzten Jahren geleistet habe.

Es berührt mich und schenkt mir ein tiefes Gefühl von Annahme, dass du mir zugetraut hast, meine Firma erfolgreich führen zu können. Ich bin traurig, wenn ich daran denke, dass ich dir vorgeworfen habe, du hättest mich im Stich gelassen. Ich bin berührt davon, dass du trotzdem nicht aufgehört hast, mich zu lieben. Und Herr, ich bin dankbar für Menschen wie Derek, Rima, Rosemarie und Roman, die mir helfen, mir selbst und meinen Emotionen weiter auf die Spur zu kommen und ihren Reichtum zu entdecken. Danke.«

∽

KLEINE WEISHEIT

Nur wer sein Herz kennt, kann es lenken. Wer seine Empfindsamkeit trainiert, wird auch sensibler für Gott werden.

MAN NEHME ...

... die eigene Hand mit fünf Fingern.

Frage dich eine Woche lang am Ende jeden Tages, was du in fünf Situationen, die dir an diesem Tag begegnet sind, gefühlt hast.

Schaue im Anhang nach, welche weiteren Wörter passend sein könnten. Möglicherweise gelingt es dir so, dein Empfinden und dein Vokabular für deine Gefühle zu erweitern.

TAG 3
WEH-MUT

TAG 3
ÜBER SINN UND UNSINN VON REUE

Wenn sich eine Tür vor uns schließt, öffnet sich eine andere. Die Tragik ist jedoch, dass man auf die geschlossene Tür blickt und die geöffnete nicht betrachtet.
—ANDRÉ GIDE

Hinterher sind wir alle Genies.
—SIANG BE

In Antwerpen war es Herbst geworden. Man konnte zwar noch draußen sitzen, wenn man eine warme Jacke trug, aber die Lokale warfen schon die gasbetriebenen Heizpilze an, deren Wärme allerdings vom ständig wehenden Wind weggepustet wurde, bevor sie überhaupt bei den Menschen ankam.

Ich selbst versuche, sparsam zu sein, was Energie anbelangt. Das führte dazu, dass ich in der Nacht im Bett lag und fror. Zusammengekauert wie ein Embryo wartete ich darauf, dass mir langsam warm werden würde. Erfolglos. Die Wärme, die mein Körper abgab, wurde gleich wieder von der Kälte des ungeheizten Raumes verschluckt. Etwa zwei Stunden lag ich so da, fühlte die Kälte und versuchte zu schlafen, bis ich endlich aufstand und mir eine zusätzliche Decke holte.

Als ich am nächsten Morgen leicht müde mit einer Tasse Milchkaffee am Fenster saß, bereute ich, dass ich so lange gewartet hatte, bis ich aufgestanden war, um mir eine wärmende Decke zu holen.

Reue gehört zu den Emotionen, die sich unangenehm anfühlen. Es ist eine Gewürzmischung aus Traurigkeit, Verzweiflung und Ärger.

Neben einigen weiteren Emotionen, die einem ganz schön die Laune verderben können. Reue ist ein Gefühl, das dazu dient, das Leben zu erhalten. Weil wir ungern bereuen, schützt Reue uns vor Dummheiten, die wir später bereuen würden, und hilft uns, Fehler zu vermeiden. Reue kann dazu beitragen, angeknackstes Vertrauen wieder herzustellen. Menschen, die echt bereuen, kann man neu vertrauen.

Es stimmt: Die Traurigkeit über Nicht-Gelingen motiviert uns, es das nächste Mal besser zu machen. Am Morgen hatte ich die Laufzeit der Mikrowelle zu lange eingestellt. Die Milch, die ich aufwärmen wollte, explodierte regelrecht. Ich bereute den Fehler und den Umstand, dass ich nun alles putzen musste. Beim zweiten Versuch machte ich besser.

Reue hilft auch bei Lernprozessen, die komplexer sind als die Handhabung von Mikrowellengeräten. Eine Freundin erzählte mir von einer Situation, in der sie bereut hatte, nicht für sich selbst eingestanden zu sein. Sie hatte in einem sehr konfliktreichen Gespräch so sehr darauf geachtet, den anderen auf keinen Fall bloßzustellen, dass sie zugelassen hatte, dass er sich ihr gegenüber respektlos verhielt, ohne ihm eine Grenze zu setzen.

Später wurde ihr klar, dass sie sich und ihrem eigenen Bedürfnis nach Schutz und Respekt nicht treu geblieben war. Sie war frustriert darüber, dass sie nicht beides geschafft hatte – dem anderen und sich selbst mit Respekt zu begegnen.

Da das Leben leider kein Film ist, den man zurückspulen kann, bat sie Gott um eine erneute Chance. Schneller als erwartet fand sie sich in einer ähnlichen Situation wieder. Diesmal gelang es ihr, ihrem Gegenüber klar zu machen, dass sie auch für sich Respekt erwartete – ohne ihn dabei bloßzustellen. Sie war beglückt und begeistert, dass sie offensichtlich dazugelernt hatte. Die Reue hatte ihr Werk getan. Ohne Reue über den ersten »Fehlversuch« wäre diese Veränderung nicht möglich gewesen. Mir wurde bewusst: Reue will zur Verbesserung des Lebens beitragen.

Sie ist nur dann problematisch, wenn man die durch Reue freigesetzte Energie nicht für Veränderungsprozesse nutzt, sondern in der Reue stecken bleibt und gedanklich immer wieder die gleichen Kreise zieht. »Ach hätte ich nur ...« »Ach wäre doch ...«

Ich kenne das Steckenbleiben in Reue nur zu gut. Besonders in Bezug auf das Ende meiner Beziehung zu Marc. Ich hatte diesen klugen, weitherzigen Mann auf Empfehlung von Freunden kennen gelernt, die der Ansicht waren, wir würden gut zusammenpassen. Taten wir auch. Wir begegneten uns nach einem Gottesdienst, schrieben uns lange Mails und Briefe und lernten uns immer tiefer kennen. Er ist ein außergewöhnlicher, warmer Mann, der unkonventionell denkt und lebt und sich sehr für andere Menschen einsetzt. Er hat ein sehr feines Gespür für Schönheit und Ästhetik, große Hände und ein weites Herz.

Natürlich verliebte ich mich in ihn. Wir wurden ein Paar, teilten viel, waren uns nahe, genossen gemeinsame Unternehmungen, lange Gespräche und waren gern zusammen. Meine Liebe zu ihm wuchs und vertiefte sich im Lauf der Zeit. Ich hätte mein Leben gern für immer mit ihm geteilt. Ihn jedoch plagte immer wieder ein unerklärliches »ungutes Gefühl«. Schließlich beendete er die Beziehung. Trotz des Schmerzes auf beiden Seiten trennten wir uns wie Erwachsene. Zwar mit Tränen, aber ohne gegenseitige Anklagen und ohne großes Theater. Wir trennten uns leise. Ohne Geschrei.

Inzwischen fragte ich mich, ob das ein Fehler gewesen war. Vielleicht hätte ich damals nicht so verständnisvoll und akzeptierend reagieren, sondern besser laut und deutlich »Nein!« schreien sollen. »Nein, *ich* will das nicht. Ich will nicht Tausende von Stunden Lachen, Teilen, Verstehen, Kennen, Lieben, sich vertrauen und gern beieinander sein aufgeben. Ich will all das Gute und Schöne, das wir teilen, nicht aufgeben. Nein, *ich* will es nicht.« Ich wünschte, ich hätte das gesagt. Es hätte wahrscheinlich nichts an der Situation geändert. Aber ich hätte wenigstens zum Ausdruck gebracht, was mich bewegt.

Doch ich hatte nicht geschrien, sondern verständnisvoll geschwiegen und akzeptiert. Ich fragte mich, ob ich und andere Menschen das mit Gott genauso machen. Ob wir aus Angst, wir könnten seine Gefühle verletzen, nicht wagen zu zeigen, was *uns* wichtig ist. Und ob ein Schlüssel zu einer gesünderen, freieren Beziehung zu Gott nicht auch darin liegen könnte, häufiger zu sagen: »Ich will!« Oder auch: »Nein, das will ich nicht«. Und dann einen echten, offenen Dialog zu führen. Auch wenn das vielleicht nichts an der Situation ändert. Aber wenigstens hätte man das gesagt, was einem selbst wichtig ist. Das tut gut.

Mich beeindruckt in dieser Hinsicht Abraham. Als Gott ihm ankündigte, er werde ihn reich segnen, hatte er den Mut, ohne Angst, er könnte Gott beleidigen, offen zu sagen, was ihn tatsächlich bewegte: »Das ist ja nett von dir. Aber was nützt mir dein ganzer Segen, wenn ich keine Nachkommen habe – das ist das, was ich mir zutiefst wünsche.« Gott respektierte das und bezeichnete Abraham – vielleicht gerade wegen seines Mutes – als Freund Gottes.[12]

Aber ich bin nicht Abraham. Wage es manchmal nicht, so offen und klar zu sagen, was ich will. Und bereue es dann später. Besonders intensiv empfand ich die Reue bei dem Gedanken an einen Abend mit Marc, als wir im Winter in einer etwas heruntergekommenen Kneipe mit schräger Musikauswahl eingekehrt waren, weil es draußen zu kalt zum Herumlaufen war und wir nichts Besseres gefunden hatten. Wir saßen da, sahen uns intensiv in die Augen.

Er wollte plötzlich wissen, ob ich im nächsten Herbst schon etwas vorhätte. Als ich – ziemlich naiv – zurückfragte, wieso, fragte er, ob ich mir vorstellen könnte, ihn dann zu heiraten. Natürlich konnte ich. Alles in mir wollte jubelnd »Ja!« schreien.

Alles bis auf das kleine Mädchen in mir, das ein Leben lang von einem romantischen Heiratsantrag geträumt hatte. Es war enttäuscht, dass Marc diese Frage an einem so unromantischen Ort gestellt hatte. Also antwortete ich: »Ich weiß nicht.«

Später erzählte mir Marc, dass es ihn irritiert und seine eigene Unsicherheit verstärkt hatte, dass ich ihm in dieser Situation kein klares »Ja« gegeben hatte.

Immer wieder gingen meine Gedanken zu dieser Situation zurück. Ich erwischte mich beim Grübeln. Was wäre geschehen, wenn ich damals »Ja« gesagt hätte? Hätte ihm das die Sicherheit gegeben, sich selbst weiter und tiefer auf die Beziehung mit mir einzulassen? Was wäre passiert, wenn …?

Meistens kann ich mich erfolgreich vor nutzlosem Herumgrübeln hüten. Wenn ich bestimmte Umstände gern anders hätte, überlege ich, was es mich an Zeit, Energie und Emotionen kosten würde, sie zu verändern. Dann entscheide ich und handle.

---

12 Die Geschichte ist nachzulesen im 1. Buch Mose, Kapitel 15.

Doch wenn ich an Marc dachte, realisierte ich, dass ich irgendwo in dem Prozess der Reue feststeckte und einen kräftigen Schubs brauchte, um weiterzukommen. Ich war ratlos, wie das gehen könnte und betete: »Lieber Gott, hilf mir dabei. Bitte. Egal, was es kostet.« Plötzlich kam mir eine Idee. Vielleicht täte es mir gut, das Ausbrechen aus den kreisenden Gedanken ganz praktisch nachzuvollziehen.

Aus dem Schlafzimmer holte ich mir das Bild eines sich küssenden Pärchens in einem kitschigen herzförmigen Bilderrahmen. Ich legte es in die Mitte des Raumes und ging langsam darum herum. Ich sprach mit Gott über die frustrierenden Gedanken, die mir immer wieder durch den Kopf gingen. Ich weinte und bereute all das, was in dieser Beziehung nicht gelungen war.

Ich empfand, dass Gott liebevoll zu mir sprach: »Du hast versucht, Dinge zu erreichen, die du gar nicht bewirken konntest. Dinge, die jenseits deiner Macht lagen. Lass es los. Kämpf dich nicht so ab.« Das tat gut. Ich bereute besonders, dass ich es nicht gewagt hatte zu sagen und zu zeigen, was ich dachte und empfand.

Weil mir klar war, dass Reue nicht dazu da ist, in ihr stecken zu bleiben, sondern uns zu Veränderung zu führen, entschied ich mich, in Zukunft anders zu handeln: Das nächste Mal, wenn mir ein Mann einen Heiratsantrag an einem unromantischen Ort macht, werde ich offen sagen, was ich empfinde – vermutlich Glück über seinen Wunsch, sein Leben mit mir zu teilen, und ein bisschen Traurigkeit darüber, dass der unschöne Ort nicht so recht zu solch einem besonderen Moment passt.

Da Heiratsanträge im Leben relativ selten vorkommen, überlegte ich mir, wie ich das, was die Reue mich lehren will, verallgemeinern könnte. Mein Blick fiel auf ein Bild auf Derek und Amys Staffelei. Darauf waren zwei Vasen vor gelbem Hintergrund zu sehen, die beide mit kleinen blauen Blumen gefüllt waren. Eine dicke, bauchige, große Vase und dahinter eine kleine, zierliche Vase. Ich interpretierte das als Bild für Haupt- und Nebengefühle.

Ich entschied mich zu lernen, auch meine scheinbar unwichtigen »Nebengefühle« anderen Menschen gegenüber besser zum Ausdruck zu bringen. Ich trat aus dem Kreis, den ich mit meinen Füßen und Gedanken gegangen war, heraus.

Am Ende des Experimentes war ich innerlich entlastet und fast heiter – und voller Vorfreude auf die wartende *Dagsoep*. In den nächsten Tagen musste ich jedes Mal schmunzeln, wenn mein Blick auf das küssende Pärchen fiel, das nun auf dem Kaminsims stand. Ich wusste, ich könnte, wenn ich wollte, jederzeit wieder um das Bild kreisen. Oder ich könnte es auch einfach stehen lassen.

❧

KLEINE WEISHEIT

Wenn du etwas bereust, tut es gut, dich zu fragen, wohin die Reue dich führen möchte. Ihr Ziel ist nie Dauer-Frust, sondern Veränderung und Verbesserung des Lebens.

MAN NEHME ...

... einen Gegenstand, der ein Geschehen symbolisiert, um das deine Gedanken immer wieder kreisen.

Lege den Gegenstand in die Mitte des Raumes. Laufe langsam im Kreis um ihn herum und denke eine Weile lang bewusst die Gedanken, die du üblicherweise in Bezug auf diese Situation hast. Sie halblaut auszusprechen, kann dabei helfen, die Konzentration nicht zu verlieren und klarer wahrzunehmen, was du eigentlich denkst.

Versuche nach einer Weile, den Kreislauf der Gedanken und deiner Schritte zu unterbrechen, in Gedanken und mit deinen Füßen in eine andere Richtung zu gehen. Welche entlastenden und hilfreichen Gedanken könntest du möglicherweise statt der üblichen reuevollen Gedanken denken?

Komme mit Gott ins Gespräch. Bitte ihn, dir zu helfen, hilfreiche Gedanken und Perspektiven zu entdecken. Entferne dich am Ende des Experimentes von dem Gegenstand. Du kannst jederzeit wieder dorthin gehen und darum kreisen oder aber auch gedanklich neue Wege gehen.

GEFÜHLS-REICH

Wer hören will, muss fühlen.
—PHILHARMONIE ANTWERPEN

Nicht weit von der Antwerpener Wohnung entfernt haben Philipp der Schöne und Katharina die Wahnsinnige geheiratet. Ihren Sohn nannten sie Karl. Er sollte später zur Zeit der Reformation – mit finanzkräftiger Unterstützung der Fugger – als Kaiser Karl V. Geschichte schreiben. Das Schicksal Antwerpens ist untrennbar mit Reformation und Gegenreformation verbunden. Im 16. Jahrhundert war Antwerpen unglaublich reich. Ein Sprichwort damals sagte: »Die Welt ist ein Ring und Antwerpen ist der Diamant.« Tausende von großen und kleinen Schiffen legten täglich dort an und schlugen Waren aus der ganzen Welt um.

Die Bürger Antwerpens waren auch in Glaubensdingen offen für Neues und in der Mitte des 16. Jahrhunderts waren 90% der Bevölkerung calvinistisch. Wie ernst sie ihren Glauben nahmen, zeigte der Antwerpener Bildersturm, die Zerstörung von Kunstschätzen, die den calvinistischen Glaubensidealen nicht entsprachen, der traurige historische Berühmtheit erlangte.

Ab 1585 wurde die Stadt wieder katholisch. Wie es dazu kam, erzählte mir ein Museumswärter bei einem Besuch im *Vleethuis*, dem ehemaligen Zunfthaus der Fleischer und Metzger, das aus Schichten von roten und weißen Steinen gebaut wurde, um einen überdimensionalen Schinken nachzuempfinden: »Als die katholisch-spanische Flotte an der Mündung der Schelde lag, dem Fluss, der Antwerpen mit dem Meer verbindet, schlug der Stadtrat vor, den Fluss weiter oben aufzustauen, um ein Einsegeln der Spanier zu verhindern.

Die Fleischerzunft fürchtete, ihre Schafe, die auf den Dämmen am Meer weideten, würden in den Kochtöpfen der Spanier landen, und protestierte erfolgreich gegen den Plan. Sie argumentierten, Antwerpen sei stark genug, sich zu verteidigen. Sie irrten sich.«[13]

In Folge flohen etwa die Hälfte der damals fast 100.000 Einwohner ins nahe gelegene Rotterdam oder etwa eine Tagesreise weiter nördlich in ein protestantisches Fischerdorf namens Amsterdam, das sich durch den Zuzug der Glaubensflüchtlinge zu der Weltstadt entwickelte, die es heute ist.

In Antwerpen blühte die Kunst unter den neuen katholischen Herrschern wieder auf. Die Künstler der Gegenreformation betonten besonders die Glaubensinhalte, in denen sie sich von den Protestanten unterschieden.

Auch die Marienverehrung erlebte im Antwerpen der Gegenreformation eine neue Blüte – nicht zuletzt, weil sie staatlich gefördert wurde. Bürger, die eine Marienstatue an ihrem Haus anbrachten, wurden von der Steuer befreit. Seit ich das wusste, musste ich immer schmunzeln, wenn ich eine der vielen Statuen an den Häusern in der Stadt erblickte. Ich fragte mich, ob der Bewohner sie wohl aus religiösen oder eher aus handfesten wirtschaftlichen Erwägungen dort angebracht hatte.

Im protestantisch-calvinistischen Norden – den heutigen Niederlanden – betonte man Gottes Allmacht. Man war nie sicher, ob Gott einen erwählt und einen Platz im Himmel gesichert hatte, aber man glaubte, dass wirtschaftlicher Erfolg ein Zeichen von Gottes Annahme sei. Wenn Gott jemanden – materiell – segnete, dann konnte man davon ausgehen, dass er ihn annahm. Das war – stark verkürzt – die innere Logik.

Deshalb arbeiteten die Calvinisten ungemein hart, um erfolgreich zu sein und sich so Gottes Annahme durch Arbeit und Tugend zu sichern. Die katholischen Antwerpener versuchten eher durch große Opfer Gottes Wohlwollen zu erlangen.

---

13 Antwerpen ergab sich 1585 den Spaniern. Ob es genauso war, wie es mir erzählt wurde, konnte ich nicht verifizieren. Ein Fremdenführer sagte mir: »Das mit den Spaniern ist viel komplizierter. Um das zu verstehen, muss man sooo einen Stapel von Büchern lesen.« Darauf habe ich bislang verzichtet.

Dieser – ganz unterschiedliche – Kampf um Gottes Gunst hat sich tief in die Kultur und Lebensweise beider Länder eingegraben. Bis heute halten die Belgier die Niederländer für ständig angestrengt und gestresst, die Holländer hingegen halten die Belgier für protzig – für Menschen, die ihren Wohlstand zur Schau stellen. Sie beschweren sich, dass man in Belgien immer erst mal essen geht, bevor etwas in Angriff genommen wird.

Gerade als ich in der Stadt war, lief eine Kunstausstellung in der Antwerpener Kathedrale, die sich mit der Gegenreformation beschäftigte: *Reunion. Von Quinten Metsijs bis Peter Paul Rubens.* Rubens ist allgemein bekannt, an Metsijs erinnern sich noch Generationen von Schülern, die sein berühmtes Bild *Der Geldwechsler und seine Frau* nachmalen mussten. Ich bin eine davon.

Die katholischen Herrscher hatten zu Beginn der Gegenreformation die Zünfte aufgefordert, zur Wiederherstellung der Kathedrale beizutragen, die von den Bilderstürmen in Mitleidenschaft gezogen worden war. Für die Ausstellung waren die alten Altarbilder der großen Meister aus den Museen geholt und an ihre ursprünglichen Plätze gestellt worden – die reichsten und einflussreichsten Zünfte hatten auch in der Kirche die besten Plätze.

Auf einem Bild, das die Zunft der Schulmeister in Auftrag gegeben hatte, sah man neben mehreren Dekanen der Antwerpener Schulen und Universitäten auch Calvin, Erasmus und Luther. Sie alle sitzen gemeinsam Christus zu Füßen, um von ihm zu lernen. Dieses Bild entstand mitten in der Gegenreformation! Was für ein Symbol der Versöhnung!

Das Modell der gewaltfreien Kommunikation ist eine Haltung und Gesprächstechnik, die Menschen befähigt, nicht auf einer Ebene von Streit, von richtig oder falsch stehen zu bleiben, sondern vielmehr von Herz zu Herz zu kommunizieren.

Sie erklärt einleuchtend, wie es zu Streit und Versöhnung kommt:[14] Egal wie rational sie es begründen, alles, was Menschen tun, tun sie aus emotionalen Gründen: entweder, damit sie sich gut fühlen oder damit sie unangenehme Gefühle vermeiden. Wir sagen zwar oft, dass wir bestimmte Situationen fürchten, aber in Wahrheit fürchten wir nicht die Situationen, sondern die Gefühle, die mit diesen Situationen verbunden sind.

Menschen fürchten letztlich nicht den Zahnarzt – der ist eigentlich ganz nett. Sie fürchten vielmehr das schmerzhafte Gefühl, das er ihnen möglicherweise zufügt. Man fürchtet auch nicht den Vortrag, sondern das Gefühl der Unsicherheit und Angst, das man vielleicht vor großen Menschenmengen empfindet. Wir essen, weil uns das ein gutes Gefühl gibt. Wir lieben, lachen und geben, weil wir uns gut dabei fühlen. Sogar selbstlos sind wir aus dem guten Grund, dass es sich angenehm anfühlt, das Richtige zu tun.

Die wenigsten Menschen zeigen ihre Gefühle offen. Sie sprechen lieber über Dinge und Situationen, auch wenn es letztlich immer um die Gefühle dahinter geht. Wir führen unsere Schlachten an der falschen Front: Wir streiten uns um Inhalte, Themen, Sachen und Dinge – aber wagen nicht zu zeigen, was unser Herz tatsächlich bewegt. Statt einander zu sagen, was wir fühlen und brauchen, greifen wir uns gegenseitig an.

Das Bild in der Ausstellung erinnerte mich an einen Vorfall, den ich kurz zuvor beobachtet hatte, als ich in einem Straßencafé saß und schrieb. Ein Fahrradfahrer war recht schnell um die Ecke gebogen. Eine Frau wollte gerade die Straße überqueren. Beide nahmen sich offensichtlich erst einen Augenblick vor der Begegnung wahr. Der Fahrradfahrer brüllte die Frau an. Die Frau zeigte ihm einen Vogel und sah die anderen Passanten mit einem Blick an, der signalisierte: »Ihr seid doch auch der Ansicht, dass der total daneben liegt.«

Die Beteiligten hatten offensichtlich die eigenen Gefühle gar nicht wahrgenommen, sondern gleich reagiert. Wie anders wäre die Begegnung verlaufen, wenn beide ihre Gefühle wahrgenommen und einander mitgeteilt hätten: »Oh, ich bin gerade mächtig erschrocken.«

---

14 Gute Einführung: www.gewaltfreiforum.de/artikel/einf.pdf

»Ich auch. Ich hab richtig Angst bekommen, als ich Sie so nah bei mir sah.« »Ich auch. Ich dachte, gleich stoßen wir zusammen.« »Gut, dass es nicht so schlimm gekommen ist.« »Ja, das stimmt. Aber ich würde Sie bitten, das nächste Mal achtsamer zu sein.« »Ja, und Sie bitte auch.«

Wie viel Grausamkeit und Kriege hätten vermieden werden können, wenn Menschen gewaltfreier, mehr von Herz zu Herz hätten kommunizieren können. Was wäre wohl geschehen, wenn etwa ein katholischer Herrscher wie Karl zu einem Reformator hätte sagen können: »Wenn ich Euch von Erlösung aus Gnade reden höre, dann fühle ich Verunsicherung. Ich spüre Irritation. Es klingt so anders als alles, was ich bisher gehört habe. Ich brauche Klarheit und will besser verstehen, wie Ihr zu dieser Meinung kommt. Könnt Ihr mir das bitte erklären.«

Vielleicht hätte der Reformator geantwortet: »Das tue ich gern. Und wenn ich ehrlich bin, habe ich auch Angst. Wenn ich Eure mächtigen Truppen sehe, Euren Reichtum, dann habe ich Angst davor, dass das zarte Pflänzchen der Freiheit und das Geschenk der Gnade, das wir eben erst entdeckt haben, wieder zertrampelt wird. Ich sehne mich nach der Sicherheit und Eurer Zusage, dass Ihr uns nicht gewaltsam vernichten werdet.«

So haben Menschen damals nicht miteinander geredet. Stattdessen stritten sie lieber über Richtig und Falsch. Und schlugen sich die Köpfe ein. Weil sie keinen anderen Weg sahen, ihre – absolut berechtigten – Bedürfnisse nach Sicherheit und Freiheit zu erfüllen.

Dass wir unsere Gefühle so schlecht wahrnehmen, liegt nicht zuletzt daran, dass wir eine Menge Dinge mit scheinbar emotionalen Vokabeln beschreiben, die in Wirklichkeit keine Gefühle sind. So sagen wir zum Beispiel zu Gott und Menschen häufig Dinge wie »Ich fühle mich von dir ausgenutzt!« oder »Ich fühle mich von dir im Stich gelassen.«

Derartige Formulierungen beschreiben keine Gefühle, sondern Einschätzungen einer Situation. »Ich denke, du nutzt mich aus!« oder »Ich denke, du lässt mich im Stich!« Darunter liegen natürlich Gefühle. Denen kommt man auf die Spur, wenn man sich fragt: Wenn ich das denke, wie fühle ich mich dann? Vielleicht hilflos, enttäuscht, verzagt, traurig, müde, einsam?

Kommunikation mit Gott und Menschen gewinnt an Klarheit, Tiefe und Nähe, wenn es gelingt zu formulieren, was man fühlt oder braucht. Wenn man Gott keine »Scheingefühle« in Form von Anklagen oder ähnlichem präsentiert, sondern spürt, was einen wirklich bewegt. Wenn man das dann auch noch ausdrücken kann, spürt man tiefe Verbundenheit und Nähe. Selbst wenn sich die Dinge nicht gleich so verändern, wie man es sich wünscht. Das wollte ich – auch in meiner Woche mit Gott – weiter einüben.

ひ

KLEINE WEISHEIT

Wenn Menschen lernen, Gefühle auszudrücken, statt sich über Fakten zu streiten, können viele (Glaubens)-Kriege vermieden werden.

MAN NEHME ...

... die Liste »Ersatzgefühle« aus dem Anhang.

Markiere alle Beschreibungen, die du als zutreffend für deine Beziehung zu Gott empfindest oder die du schon einmal über eure Beziehung gesagt hast.

Überlege anschließend, was wohl die tatsächlichen Gefühle sind, die hinter den Ersatzgefühlen stehen. Frage dich: Welche »Glaubenskriege« hast du mit Gott und anderen geführt? Worum ging es – emotional – wirklich?

MEINE BILDER,
MEINE GESCHICHTE

Ich höre alles – und nicht nur die Musik, sondern die Herzen dahinter.
—Papa in »Die Hütte«, Seite 103

An diesem Morgen hatte mich leichte Panik ergriffen. Es war schon Tag drei meiner Reise und ich hatte ich noch keine einzige klare Antwort auf meine drei großen Fragen gefunden. Ich fühlte mich – trotz einzelner bewegender Momente – meist noch weit entfernt von meinem eigenen Herzen und von Gott.

Doch dann begegnete mir Gott an diesem Tag – auf seine Art und Weise. Und meine. Die *Reunion*-Ausstellung berührte mich tief. Vielleicht auch, weil ich das gar nicht erwartet hatte. Als ich das Plakat sah, das für die Ausstellung warb, empfand ich ein leises Anstupsen. So wie ich es von Gott kenne, wenn er mir sagen will: Du, da ist was für dich. Obwohl ich das Gefühl hatte, dass er mich dort haben wollte, hatte ich keine großen Erwartungen.

Rubens ist nicht so mein Fall. Er würde sich wahrscheinlich im Grab umdrehen, wenn er dies lesen würde, oder zumindest mit dem Pinsel nach mir werfen – schließlich weiß ich nicht viel über Kunst. Immerhin hatte ich aber bei meinem letzten Besuch in Antwerpen eine Einführung in die Kunstgeschichte gelesen. Das hatte nicht genügt, um mich zur Expertin zu machen. Es ist einfach, wie es ist: Während mich die Bilder Rembrandts, eines Zeitgenossen von Rubens, sehr ansprechen, berühren mich die meisten Gemälde von Rubens nur wenig.

Das liegt zum Teil daran, dass Mitte des 16. Jahrhunderts der Manierismus aufkam, eine Kunstform, die sich gegen das »Glatte« vorheriger Stilrichtungen wandte.

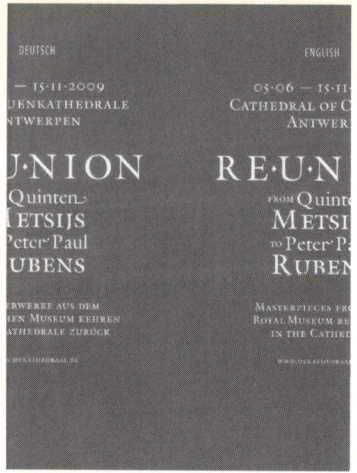

Die Manieristen entdeckten, dass man Körper nicht nur gerade, sondern auch verdreht malen kann, um Bildern Dramatik und Lebendigkeit zu verleihen. Also wurden Torsos und Gliedmaßen gebogen und verdreht, was das Zeug hielt – mit dem Ergebnis, dass das Ganze – zumindest für den modernen Betrachter – reichlich unnatürlich wirkt.

Von daher erwartete ich mir von der Ausstellung eine Art kunsthistorische Bildungserfahrung. Jedoch nichts, was mein Herz bewegen würde. Umso erstaunter war ich, als genau das geschah. Die Kuratoren hatten alle Bilder vor riesigen roten Tüchern, die von der Decke herabhingen, platziert, was großartig wirkte. Der Audio-Guide war keine trockene Museumsstimme, sondern Zeitgenossen der Künstler oder die Künstler selbst meldeten sich lebhaft zu Wort und erklärten ihre Bilder und deren Hintergründe.

Am meisten beeindruckte und berührte mich jedoch, mit welchen biblischen oder kirchengeschichtlichen Szenen die einzelnen Handwerkszünfte sich identifizierten. Die Fischverkäufer wählten den von Jesus angeregten, wunderbar erfolgreichen Fischfang als Motiv.

Die Schneider stellten die Anbetung der Heiligen drei Könige dar – nicht zuletzt deshalb, weil sie die Figuren von den Malern in prächtigen Kleider aus Goldbrokat, Hermelin, Federn und glänzenden Stoffen darstellen lassen konnten.

So war der Altar neben einem Ort der Anbetung auch eine Art Showroom für die eigene Zunft. Auch in den Altären der Fechter, Maler und Schmiede kam dies zum Ausdruck. Sie nutzten die Altarbilder, um ihre Werkzeuge und Kunstfertigkeit darzustellen. Es gab sogar Altarumfassungen mit Motiven von Zünften – zum Beispiel dem Böttger-Handwerk, also den Handwerkern, die Fässer herstellten. Ich fotografierte sie – weil dies das traditionelle Handwerk der Familie meiner Mutter war.

Am originellsten fand ich das Motiv, das die Gilde der Seifenmacher gewählt hatte, die einen Platz auf einem der Seitenflügel des Schulmeister-Altars bekamen – vermutlich reichten ihre finanziellen Mittel nicht für einen eigenen Altar. Dort wurde geschildert, wie der Prophet Elia einer armen, vom Hungertod bedrohten Witwe half, indem er die paar Tropfen Öl, die sie noch hatte, so vermehrte, dass alle Töpfe, die sie und ihre Nachbarinnen in Windeseile herbeischleppten, damit gefüllt werden konnten. Der Verkaufserlös reichte aus, um die Witwe und ihren Sohn durch die schwere Zeit zu bringen.

Edle Seifen wurden von jeher aus kostbarem Olivenöl gefertigt. Von daher konnte ich mir leicht vorstellen, dass ein Prophet, der einem das Öl vermehrt, den Herzenstraum jedes Seifenmachers widerspiegelte.

Ich verstand: Die Zünfte hatten sich mit dem verbunden, was für sie bedeutsam war. Sie hatten die Geschichten ausgewählt, die sie besonders ansprachen und mit deren Figuren sie sich identifizieren konnten. Das erleichterte ihnen den Zugang zu Gott.

Manchmal waren die Verbindungen sehr platt und direkt, wie bei den Degenfechtern, deren Altarbild den Kampf der Engel gegen Dämonen zeigte. Sie hatten den Maler Frans Floris speziell beauftragt, Schwerter und Lanzen besonders hervorstechend und ausdrucksstark zu malen. Natürlich brachte mich das zum Schmunzeln.

Langsam begriff ich: In Gottes Haus darf jeder seine Geschichte und die Geschichte seiner Zunft zum Ausdruck bringen. Jeder darf den Zugang zu ihm wählen, der ihn anspricht. Ja, es gibt in jeder Kirche einen Hauptaltar, der den großen Weg Gottes mit den Menschen symbolisiert. Aber es ist in Ordnung, wenn jeder Mensch daneben auch ganz eigene, persönliche Zugangswege und Bilder entdeckt, die ihm den Zugang zu Gott erleichtern.

Mich entlastete das. Ich ahnte, dass ich nicht auf die gleiche Weise zu Gott kommen musste, wie andere es taten, sondern Zugänge finden konnte, die mir entsprachen. Das bedeutete, dass es okay war, wenn ich zuerst ein paar Tage brauchte, um meine Gedanken zu sortieren, bevor ich wieder neu lieben, vertrauen und feiern konnte. Das ist meine Art. So bin ich. Ich darf meine eigene Geschichte haben – mit Gott.

⁂

KLEINE WEISHEIT

Du kannst Gott begegnen – auf deine Art.

MAN NEHME ...

... ein Blatt Papier und Stifte.

Überlege: Wenn du ein Altarbild in Auftrag geben würdest, welches Bild würdest du wählen, um die Geschichte deiner »Zunft« oder deine persönliche Geschichte mit Gott widerzuspiegeln?

Skizziere dein Bild und wähle Farben, die deine Emotionen wiedergeben. Du kannst auch mehrere Geschichten wählen. Viele Altarbilder waren ja Triptychons, d. h. sie hatten ein Hauptbild und je ein Seitenbild.

TAG 4

BEZIEHUNGS-WEISE

TAG 4
ÜBERRASCHT
VON DER GNADE

Schließlich hängt das Glück nur davon ab,
wie viel Fähigkeit man hat, zu lieben.
—NACH RICARDA HUCH

Kaiserwetter. Ich beschloss, erst mit Gott zu reden und dann bald nach draußen zu gehen. Seit Tagen hatte ich das Empfinden gehabt, es wäre gut für mich, am vierten Tag in die St. Pauluskirche zu gehen. »Die Hütte« ist für den Autor Paul Young eine Metapher für all die Bereiche im Leben, in denen man feststeckt, verletzt und verwundet ist – die inneren Orte, wo die Scham und der Schmerz sich konzentrieren. Für mich war die St. Pauluskirche in Antwerpen meine »Hütte«, der Ort, an dem sich mein ungelöster Schmerz konzentriert.

Wieso? Das ist eine etwas längere Geschichte. Im Jahr 2006 schrieb mir eine Freundin, dass sie sich bei einem Italienischkurs in Rom sehr einsam fühlte und noch einige Tage Zeit hatte, bevor sie von Pisa aus nach Berlin zurück fliegen würde. Für einen Buchumschlag brauchte ich noch ein Bild vom schiefen Turm. Da es tatsächlich billiger war, hinzufliegen und das Bild selbst aufzunehmen, als es bei einer Agentur zu erwerben, kaufte ich mir ein Ticket für 50 Euro und flog nach Pisa. Was für ein brillanter Anlass für einen Kurzurlaub!

Spontan solche Dinge tun zu können, gehört zum großen Luxus eines Single-Lebens. Ich war und bin einer der glücklichsten Menschen, die ich kenne, und genieße die vielen schönen Aspekte meines Lebens. Trotzdem greife ich nicht gern auf den Ausdruck »glücklicher Single« zurück, um mein Leben zu beschreiben.

Single-sein bedeutet für viele Alleinstehende einen mehr oder minder unfreiwilligen Mangel. Das Wort »Single«, das den fehlenden Partner beschreibt, mit dem Wort »glücklich« zu kombinieren, halte ich für wenig passend. Man spricht ja auch nicht von »glücklichen Arbeitslosen«, »glücklichen Waisen« oder »glücklichen Kranken«, auch wenn sicher der eine oder andere, der sich in einer derartigen Situation des Mangels befindet, mit dem ungewollten Umstand Frieden geschlossen hat und durchaus glücklich ist.

Außerdem mag ich es nicht, wenn eine Person auf einen einzigen Aspekt – etwa ihren Familienstand – reduziert wird. Von Ehefrauen weiß ich, dass sie es nicht schätzen, wenn sie anderen als »Frau von X« vorgestellt werden, und die meisten Mütter mögen es nicht, wenn sie auf »Mutti von Y« reduziert werden. Deshalb: Ich für meine Person bin kein glücklicher Single. Wenn überhaupt bin ich eine glückliche Berlinerin-Autorin-Schwester-Literaturliebhaberin-Freundin-Tante-Referentin-Kinofan-Genießerin-Inspiratorin-Reisefreak-Kunstliebhaberin-Gestalterin und, wenn man mag, irgendwo dazwischen vielleicht auch noch Single.

Glücklich bin ich durchaus. Ich mag mein Leben, genieße die Aufgaben, die es mir stellt, und pflege langjährige, gute, tiefe Freundschaften. Ich halte eine Beziehung nicht für das Allheilmittel gegen alle Formen von innerem Blues. Mein ganzes Erwachsenenleben hindurch hatte ich immer gesagt – und es tatsächlich so gemeint: »Es würde mich freuen würde, wenn Gott einen Partner in mein Leben bringt. Aber es wäre genauso okay, wenn er es nicht täte.«

Das änderte sich an jenem Tag in der Toskana. Meine Freundin und ich mieteten unweit des schiefen Turmes einen Roller, obwohl wir beide kaum Fahrpraxis hatten. Wie wenig, merkten wir erst, als wir uns auf einer Nebenstraße verfuhren und auf einem steilen Bergpfad landeten.

Dessen Unterlage war eine rutschige Mischung von Stein und Geröll – irgendwann landeten wir samt Roller im Graben. Mit dem Ergebnis, dass das Vorderrad sich verzog, was das Fahren nicht leichter machte. Ein Tankwart, den wir später um Hilfe baten, nahm den Lenker beherzt in beide Hände und schlug das Rad mehrfach an den Randstein, bis es wieder gerade war. »Finito«. »Gracie«.

Als wir nach dieser harten Tour endlich gemütlich durch die Straßen des romantischen Städtchens Lucca schlenderten, fiel mein Blick auf die geöffnete Tür einer Kirche. Ich weiß nicht, was mein Herz auf der Fahrt durchgeschüttelt und durchgerüttelt hatte, aber als ich die Kirche betrat, war mir plötzlich klar, dass der Satz »Es ist mir egal, ob Gott mir einen Partner schenkt oder nicht.« nicht mehr stimmte. Ich würde lieber mit einem Partner durchs Leben gehen. Aber konnte ich Gott darum bitten?

An einer Wand der recht düsteren Kirche stand eine Jesus-Statue. Jesus hatte den oberen Teil seines blauen Gewandes geöffnet und zeigte sein Herz: Leuchtend rot mit Flammen. Eigentlich ziemlich kitschig. Dennoch nahm ich es in diesem Moment als ein Bild dafür wahr, dass er mit mir mitfühlte und mich verstand. Das gab mir Zuversicht, ihm auch meinen Wunsch anzuvertrauen – also entschied ich mich, ihn zu bitten.

Ich hatte das Bedürfnis, diese innere Entscheidung auch sichtbar zum Ausdruck zu bringen, und ging zu einem Ständer mit flackernden Kerzen. Zu viel wollte ich dafür allerdings nicht investieren. Also warf ich 20 Cent – den Preis für die billigsten Kerzen – in den Kasten und zündete eine Kerze an.

Ich nahm allen Mut zusammen und sagte zu dem Jesus mit dem flammenden Herzen – natürlich nicht zu der Holzfigur, sondern zum echten, realen Jesus, der durchaus auch ein brennendes Herz hat: »Ich bitte dich, verbinde mein Leben mit dem eines Mannes.«

Kurz darauf – am übernächsten Tag! – trafen Marc und ich uns in Berlin erstmals auf einen Kaffee und lernten uns in den folgenden Wochen immer besser kennen. Als die Beziehung zu ihm zerbrach, gehörte die Erinnerung an mein Gebet in Lucca zu den schmerzhaftesten und verwirrendsten Erfahrungen. Ich fragte mich: Hatte Jesus mich nicht gehört? Hatte er mich im Stich gelassen? War ihm mein Gebet egal gewesen?

Vielleicht hätte ich in mein Gebet noch ein paar zusätzliche Hinweise einbauen sollen? Etwa: »Mit ›verbinden‹ meine ich übrigens, dauerhaft, für immer, gemeinsam durchs Leben gehen – nicht ein Experiment für ein paar schöne Monate.« Aber eigentlich konnte er sich das ja denken. Ich verstand Jesus nicht. Kein bisschen.

Ohne Verstehen ist Vertrauen viel schwerer. Im Grunde muss man auch nur dann vertrauen, wenn man nicht versteht. Wenn man Gottes Handeln vollständig verstehen kann, braucht man ihm ja nicht mehr zu vertrauen. Doch wenn man das Handeln oder Nicht-Handeln Gottes nicht verstehen oder einordnen kann, muss man sich entscheiden, ob man ihm vertrauen will. Oder eben nicht.

Drei Jahre nach meinem Gebet zu dem Jesus mit dem flammenden Herzen, zwei Jahre nach Ende der Beziehung, erkundete ich die mir wenig vertraute nördliche Innenstadt Antwerpens. Versehentlich geriet ich ins Rotlichtviertel, wo spärlich bekleidete Frauen in Schaufenstern sitzen, sich anbieten und von Männern anstarren lassen. Ich dachte, ich käme da schnell wieder raus, wenn ich um die Ecke böge, geriet aber nur tiefer hinein.

Das Schlimme war nicht nur, die Frauen zu sehen, die ein – in meinen Augen – entwürdigendes Leben führen müssen – sondern die gierigen Blicke der Männer wahrzunehmen, mit denen sie die Frauen in den Schaufenstern begutachteten – und mich. Ich war die einzige Frau, die dort unterwegs war, und fürchtete, dass die Männer, die mich intensiv ansahen, mich für eine Frau hielten, die dort arbeitete. Noch mehrere Straßenzüge weiter verunsicherten mich die Blicke der Männer, die mir begegneten.

Wie glücklich war ich damals, als ich die St. Pauluskirche entdeckte: ein Licht durchfluteter hoher gotischer Raum, aus Lautsprechern dezent die festlichen Klänge von Barockkonzerten. Warme, freundliche Menschen, allesamt Ehrenamtliche, sorgen dafür, dass dieses »barocke Juwel in einem gotischen Schrein« besucht werden kann. Ich entspannte mich zusehends, genoss die Ruhe, die Musik, die Reinheit. Mitten in diese Entspannung hinein begann Gott zu mir zu sprechen. Nicht mit lauter Donnerstimme, sondern eher in Form von ruhigen, klaren Gedanken, die sich wie Perlen an einer Kette aneinander reihten und plötzlich Sinn ergaben.

Ich sah einen Ständer mit Kerzen und empfand, dass Gott mich leise, aber bestimmt dazu aufforderte, ihn erneut um einen Partner zu bitten. Ich dachte an mein Gebet in Lucca, das offensichtlich nicht erhört worden war. Ich spürte den Schmerz, die Enttäuschung, die Trauer, mein Nicht-Verstehen.

Wie lange ich vor dem Kerzenständer gesessen habe, weiß ich nicht. Nur, dass es sehr lange war. Ich dachte an Jesus mit dem flammenden Herzen und war mir nicht sicher, ob ich ihm erneut ein Gebet anvertrauen wollte.

An der Wand der Kirche hingen Dutzende von Bildern mit unterschiedlichen Szenen aus dem Leben Jesu, die von großen niederländischen Meistern wie Rubens, van Dyck, Jordaens und anderen gemalt worden waren: das neugeborene Kind, der qualvoll Gekreuzigte, der triumphierend Auferstandene – und viele weitere.

Jesus ist all das und noch viel mehr. Nur nehmen wir je nach Umfeld und Lebenssituation verschiedene Aspekte von ihm besonders intensiv wahr – etwa den Hirten, den Freund, den Versorger, den Tröster, den mit dem leidenschaftlichen Herzen. Wenn ich Wegweisung brauche, dann nützt mir das »flammende Herz« recht wenig, aber ich finde leicht Zugang zu dem Hirten. Und in Situationen, in denen ich Trost brauche, ist mir der Tröster lieber als der Retter.

Ich fragte mich, auf welchen Aspekt von Jesus ich nun blicken könnte, was mich so mit Zuversicht erfüllen könnte, dass ich es erneut wagen würde, meine Bitte um Partnerschaft mit ihm zu verbinden.

Ich entschied mich für den Säugling in der Krippe. Der Gott, der als Kind in diese Welt gekommen war und sich verletzlich gemacht hatte, abhängig und klein, der würde mich verstehen. Er würde verstehen, was es mich kostete, meine Angst vor einer weiteren Enttäuschung zu überwinden.

Er würde verstehen, was es für mich bedeutete, mich in einer unvollkommenen Welt erneut zu öffnen, wieder neu Vertrauen zu wagen und mich auf das Leben darin einzulassen. Mit Blick auf das Kind in der Krippe ging ich zum Gebetskerzenständer, zündete eine Kerze an und sprach meine Bitte aus.

☙

KLEINE WEISHEIT

Gott ist vielseitig. Wenn du zu einem Aspekt seines Wesens keinen Zugang findest, dann sieh dich um – vielleicht entdeckst du einen anderen Aspekt seines Wesens, der dir den Zugang erleichtert.

MAN NEHME ...

... einen Zettel und einen Stift.

Welche Namen für Jesus und/oder Gott kennst du? Schreibe sie auf. Überlege, welche Dinge dir gerade am Herzen liegen und worum du ihn bitten möchtest.

Welcher Name von Jesus/Gott spricht dich in Bezug auf deine Situation besonders an und hilft dir, ihm zu vertrauen?

LERNEN STATT ALMOSEN

Manche Dinge, die ich anfangs für gut hielt,
erwiesen sich später als furchtbar zerstörerisch.
—MACK IN »DIE HÜTTE«, SEITE 154

Am Abend des Vortages hatte ich beim Durchsehen meiner Mails auch eine Nachricht meiner Freundin Rosemarie gelesen, die darin schrieb, dass viele Menschen nur deswegen Kontrolle ausüben würden, weil sie sich vor echter Liebe fürchteten. Ich fragte mich, ob auch ich versuchte, aus Angst vor Liebe Menschen und Dinge zu kontrollieren.

Vor dem Einschlafen betete ich: »Vater, zeig mir deine Liebe.« In der Nacht träumte ich von einer Begegnung mit einem Bettlerjungen. Er bat mich um Geld. Ich erklärte ihm, dass ich keines hätte. Aber ich bot ihm einen Ausbildungsplatz an. Dies schien ihn nicht sehr zu begeistern, er wirkte enttäuscht. Ob er das Angebot annehmen würde, war noch ungeklärt, als ich aufwachte.

An diesem Morgen saß ich in meinem Sessel vor dem Fenster und hing erneut an meinen alten, quälenden Erfahrungen fest: Warum will Gott überhaupt, dass ich ihn um etwas bitte (wie Partnerschaft), wenn er das Gebet dann doch nicht erhört? Im Englischen heißt »verwirrt sein« »to be puzzled«. So fühlte ich mich – ganz schön verpuzzelt.

Ich erinnerte mich an die Puzzles, die ich als Kind leidenschaftlich gern gemacht hatte. Auf einem davon war eine strahlend weiße Einbauküche zu sehen, die mitten in einem Herbstwald stand. Ein Marketing-Mensch der Küchenfirma Neff hatte sich das wohl ausgedacht. Sehr clever. Ich hatte das Puzzle fast fertig. Nur das letzte Teil passte nicht. Egal wie ich es drehte oder wendete, es ging nicht in die letzte verbleibende Lücke hinein.

Auch den anderen Familienmitgliedern gelang es nicht, das Teil einzufügen. Es machte mich fast verrückt. Nach der Schule, vor dem Einschlafen, am Morgen vor dem Frühstück – immer wieder probierte ich es ... keine Lösung. Dann entdeckte ich eines Morgens plötzlich, dass ein anderes Teil etwas wackelig aussah. Ich tauschte die beiden Teile aus und plötzlich ging das Puzzle auf.

Daran dachte ich nun und suchte fast verzweifelt Antworten auf die quälenden Fragen und »Puzzlestücke«, die ich nirgendwo in mein Glaubens- und Lebenspuzzle einfügen konnte. Mir liefen Tränen über die Wangen, weil es schmerzvolle Fragen waren. Schmerzvoll unbeantwortete.

Mitten in mein Denken und Weinen hinein sprach Gott leise zwei Sätze. »*Mein Handwerk ist Liebe. Und du hast heute das erste Lehrjahr bestanden.*« Mir gingen schlagartig ganze Welten auf. In diesen zwei Sätzen steckten 10.000 Dinge, die ich auf einmal begriff. Ich erinnerte mich an die Ausstellung der Zünfte. Ich verstand, dass es kein reiner Glücksgriff ist, ob man geliebt wird, sondern dass man lernen kann, Menschen Raum für Liebe zu geben, und dass Gott mir das offensichtlich beibringen wollte.

Mir wurde klar, dass diese »Lehre« ein Lernprozess ist – anstrengender, als wenn Gott mir einfach die Liebe von Menschen schenkt. Aber ich ahnte, dass es ein größeres Geschenk ist und mehr Wertschätzung bedeutet, wenn Gott mich einlädt, das Handwerk der Liebe zu lernen, als wenn er mich einfach mit der Liebe anderer beschenkt.

So wie in meiner Firma. In den Anfangsjahren dachte ich, dass ich kaum beeinflussen kann, ob jemand meine Produkte mag. Es stimmt: Menschen haben die Freiheit, ob und wie sie auf meine Angebote reagieren möchten. Aber ich kann viel dazu tun, dass es ihnen leichter fällt, meine Angebote zu entdecken und anzunehmen. In den letzten Jahren habe ich viel darüber gelernt und fühle mich viel sicherer und gelassener.

In gleicher Weise machte Gott mir klar, dass er mich in meinem Privatleben nicht mit einem »Almosen der Liebe« abspeisen wollte. Er wollte mir vielmehr beibringen, wie ich den Raum schaffen und gestalten kann, in dem Liebe gedeiht. Ob und wie andere dann auf mich reagieren, bleibt natürlich im Rahmen ihrer eigenen Freiheit.

Der Bettlerjunge in meinem Traum, der enttäuscht war, weil er das erwartete Geschenk nicht erhalten hatte, war ich. Statt eines Almosens bot Gott mir eine Ausbildung an. All der Frust über das vermeintlich nicht erhörte Gebet fiel von mir ab. In mir jubelte alles: Er hatte mein Gebet um Liebe, das ich ein Jahr zuvor gebetet hatte, erhört. Nicht, indem er mir die Liebe eines Menschen wie ein Almosen schenkte, sondern indem er mich in seine Schule der Liebe nahm.

In den Tagen zuvor hatten mich die Marienstatuen an den Häusern fasziniert, auf denen die Madonna mit einem etwa einjährigen Kind zu sehen war, das auf halber Höhe neben ihr steht. Bei einer Statue schien Maria regelrecht mit dem Jesuskind zu tanzen. Mir wurde klar, dass mich dies an das eine Jahr erinnerte, in dem schon etwas gewachsen war. Mein erstes Lehrjahr. Es war, als ob Gott mir sagen wollte: »Du hast im zurückliegenden Jahr viel gelernt. Du hast gelernt, mehr Liebe zu schenken und zu empfangen. Ich bin stolz auf dich.« Was für ein Gott! Was für eine Erleichterung. Ich hätte explodieren können vor Freude. Gott hatte mich gehört! Er nahm mich an. Er nahm mich in seine Schule. Er traute mir etwas zu.

Derek, der besondere Gelegenheiten intensiv auskosten und zelebrieren kann, hatte mir vermittelt, dass die Wirkung und Bedeutung wichtiger Momente im Leben verstärkt wird, wenn man sie ausgiebig feiert. Also zog ich zur Feier des Tages meinen schönsten Rock und eine edle Kette an, schminkte mich und zog los. Mein Plan war, einige Texte aus den Psalmen, die mich durch die vorangegangenen Tage begleitet und mir unterschiedliche Aspekte von Gott gezeigt hatten[15], an meinem Lieblingsplatz neben einem kleinen Springbrunnen in der strahlenden Herbstsonne zu lesen.

Als ich ankam, war auf einer Seite des Platzes schon ein Mann, der den Gesichtszügen nach der Vater des kleinen Bettlerjungen aus meinem Traum hätte sein können. Er spielte auf einer Geige, die er mit einem Trompetenrohr verstärkt hatte. Ich habe kein sehr feinfühliges musikalisches Ohr. Im Gegenteil: Was Musik anbelangt, besitze ich

---

15 Psalm 18 feiert jubelnd, dass man mit Gott über Mauern springen kann und er weiten Raum schenkt. Psalm 19 beschreibt Gott, der durch die Schöpfung stillschweigend kommuniziert. Psalm 20 spricht wunderbare Segensworte aus, Psalm 21 bejubelt Gottes Stärke und Psalm 22 enthält den tiefen Verzweiflungsschrei »Mein Gott, mein Gott, warum hast du mich verlassen?« eines Menschen, der sich von Gott vergessen glaubt.

eine weit größere Toleranzspanne als die meisten Menschen. Doch das, was der gute Mann da bot, war selbst für meine Ohren zu qualvoll. Es kratzte auf den Saiten und die Musikstücke wirkten unmelodisch und hektisch. Ich versuchte, ihn, so gut es ging, zu ignorieren und zu lesen.

Als er schließlich seinen Standort auf der anderen Seite des Platzes verließ und nur einen Meter von meinem Sitzplatz entfernt erneut zu spielen begann, ergriff ich die Flucht. Ich dachte an meinen Traum. Liebend gerne hätte ich ihm eine Ausbildung bezahlt. Wenigstens eine Stunde Musikunterricht. Ich war zu schüchtern und warf nur etwas Kleingeld in seinen Becher. Er bedankte sich mit einem strahlenden Lächeln, das eine große Zahnlücke entblößte. Als ich sechs Stunden später wieder an dem Platz vorbei kam, der normalerweise von Menschen bevölkert ist, war er immer noch da und spielte. Allein! Ich verstand, welche Würde Gott mir gibt, wenn er sagt: Ich will dich nicht mit Almosen abspeisen, sondern dich in meine Ausbildung nehmen.

$$\sim$$

KLEINE WEISHEIT

Wenn Gott Menschen etwas beibringt, drückt das weit mehr Wertschätzung aus, als wenn er ihnen das Gewünschte einfach schenkt.

MAN NEHME ...

... einen ruhigen Moment.

Stell dir vor, dass Gott dich liebevoll anschaut. Voller Freude darüber, wer du bist, was dich ausmacht, was du gelernt hast, was dich bewegt. Frage ihn: Was siehst du, wenn du mich siehst? Versuche, innerlich auf das zu hören, was er dir möglicherweise antwortet.

Wenn du mutig bist, frage Gott auch: Wo möchtest du, dass ich etwas lerne? Nicht, weil ich ungenügend bin, sondern weil du es für unter meiner Würde hältst, von Almosen zu leben, und mir dein Handwerk beibringen möchtest?

LIEBE BEDECKT

Was bleibt, sind Glaube, Hoffnung und Liebe.
Die Liebe aber ist das Größte.
—Paulus im 1. Korintherbrief 13, 13

Historische Ereignisse wollen gefeiert werden. Das Kaiserwetter des Tages lud regelrecht dazu ein. Deshalb machte ich mich auf den Weg zur Schelde, dem Fluss, der durch Antwerpen fließt. Hier soll angeblich der römische Held Silvanus Brabo einen Riesen, der die Menschen ausbeutete und quälte, besiegt haben. Wofür man ihm gleich zwei Denkmäler setzte. In einem davon, dem Springbrunnen vor dem Rathaus am Handschuhmarkt, hält Brabo die Hand des Riesen triumphierend hoch – Wasser spritzt in alle Richtungen. Der Held tat der Legende nach, was man damals mit abgehackten Händen zu tun pflegte – er warf sie in den Fluss. Vom Hand werfen, flämisch (H)ant werpen soll dann auch der Name der Stadt kommen.

Dass Riesen nicht glaubhaft historisch verbürgt sind, hat die Bürger der Stadt nicht daran gehindert, die Antwerpener Hand zum Wahrzeichen zu erklären und regelmäßig zu verspeisen. Traditionell als Mandel-Mürbteiggebäck, aber auch in Schokoladenform. Und als Biersorte. Auch ich wollte heute den Sieg über einen Riesen feiern: Den Riesen der Angst, Gott könnte mich vergessen und meine Gebete nicht gehört haben. Ich wollte die Freiheit feiern, neu vertrauen zu können, dass Gott liebt – auf seine Art und Weise.

Also ging ich zur *Zuiderterras*[16], einem Lokal, dessen Preise eigentlich jenseits meines Alltags-Budgets liegen. Aber heute war kein Alltag.

---

16 www.zuiderterras.be

Wenn einem der Schöpfer des Universums sagt, man habe gerade sein erstes Lehrjahr in Sachen Liebe erfolgreich bestanden, dann ist das Grund zum Feiern. Ich feierte bei einem herrlichen Essen mit einem *Koffie verkeert* als Nachtisch und schmolz innerlich weg, als der Kellner mir sagte, ich spräche besser Flämisch als der – Französisch als Muttersprache sprechende – belgische König.

Nach dem Essen genoss ich den Blick auf Hafen und Altstadt und die Glockenklänge, die von der Liebfrauenkirche sanft herüberschwebten, bevor ich mich auf den Weg zur St. Pauluskirche machte, die ja mein großes Ziel für diesen Tag war.

Als ich die Kirche betrat, traute ich meinen Augen kaum. Vor dem Hochaltar prangte – als Teil einer Kunstausstellung – ein riesiges rotgoldenes Schild: *Het Liefde – Die Liebe.* Darüber, auf einer Schriftrolle unter dem Altar, stand in hebräischen Buchstaben das Wort AHAVA. Es bedeutet: Liebe, die empor hebt.

Auf den Treppen, die zum Altar führten, stand in metergroßen Schriftzügen die wunderbarste Beschreibung der Liebe, die ich kenne. Worte, die der Apostel Paulus vor fast 2000 Jahren formuliert hat.

»Die Liebe ist langmütig und freundlich, die Liebe eifert nicht, die Liebe treibt nicht Mutwillen, sie bläht sich nicht auf, sie verhält sich nicht ungehörig, sie sucht nicht das Ihre, sie lässt sich nicht erbittern, sie rechnet das Böse nicht zu, sie freut sich nicht über die Ungerechtigkeit, sie freut sich aber an der Wahrheit; sie erträgt alles, sie glaubt alles, sie hofft alles, sie duldet alles. Die Liebe hört niemals auf.«[17] Ich saß minutenlang da und starrte wie gebannt auf die Worte. Besonders *het liefte bedeckt alles, geloft alles, hofft alles* – die Liebe deckt alles zu, hofft alles, glaubt alles.

---

17 Apostel Paulus, 1. Brief an die Korinther, Kapitel 13, 4-8

Das also war mein Lehrplan, die Beschreibung dessen, was ich im Handwerk der Liebe zu lernen hatte.

Doch das war nicht der erste Schritt. Zuerst einmal waren diese Worte eine Beschreibung dessen, was mein Meister beherrscht. Er bedeckt alles. Auch all die Bereiche, in denen ich nicht genüge. Seine Liebe macht sich nicht auf Kosten anderer groß. Seine Liebe ist langmütig – sie gibt den Mut nicht auf. Seine Liebe ist freundlich. Seine Liebe hebt uns hoch. Nie können wir seinen oder auch nur unseren eigenen Maßstäben genügen. Aber seine Liebe hebt uns hoch.

Er kommt uns entgegen. Bedeckt unsere Unzulänglichkeit. Glaubt immer noch, wenn wir schon längst die Hoffnung aufgegeben haben. Ich hätte noch Stunden sitzen bleiben und diese Worte auf mich wirken lassen können, aber da die Kirche bald geschlossen werden sollte, ging ich noch für einen Moment zu den Kerzenständern. Ich kaufte mir mehr als ein halbes Dutzend Kerzen und zündete sie an. Die etwas dezenteren Beter neben mir sahen mir erstaunt zu.

Diesmal betete ich nicht wieder um einen Menschen, der mich lieben würde. Ich ging einfach davon aus, dass diese Bitte bei Gott angekommen und gespeichert worden war. Ich hatte vielmehr das tiefe Bedürfnis, demonstrativ zum Ausdruck zu bringen: »Ich will. Ich nehme deine Einladung ins zweite Lehrjahr an. Ich will Liebe lernen. Dich und Menschen lieben und deine und ihre Liebe annehmen.«

&

KLEINE WEISHEIT

Der Meister beherrscht alles, was er uns beibringen will – auch das Handwerk der Liebe.

MAN NEHME ...

... die Texte über Liebe.

Lies sie dir selbst laut vor. Ruhig mehrmals. Lass sie auf dich wirken.

TAG 5
UN-VERGÄNGLICH

TAG 5
VERGÄNGLICHKEIT

Der Gedanke an die Vergänglichkeit aller irdischen Dinge ist ein Quell unendlichen Leids – und ein Quell unendlichen Trostes.
—MARIE VON EBNER-ESCHENBACH

Am Morgen des fünften Tages wachte ich etwas verknittert auf. In der Nacht hatte ich von einem Freund geträumt, mit dem ich vor ziemlich genau 20 Jahren eine Weile lang viel Zeit verbracht hatte. Der Traum war real und nah. Voll lebendiger Erinnerung. Erst nach und nach setzte die Gegenwart ein. Ich begriff: Das ist vorbei. Lange vergangen.

Am Abend zuvor hatte ich mich noch mal auf einen – wie ich dachte – kurzen Spaziergang gemacht. Ich war von den Erlebnissen des Tages noch so erfüllt, dass ich vor Glück nicht schlafen konnte.

Ich lief durch die schmalen Gassen der Innenstadt und entdeckte in einem kleinen Buchladen eines meiner Impulshefte. Für jeden Autor ist es ein erhebendes Gefühl, die eigenen Bücher in einem Laden zu sehen. Dieses kleine Impulsheft über *Gottes Verheißungen*[18] auf Niederländisch war jedoch das erste fremdsprachige Buch von mir, das ich je in einem Laden sah! Was für ein Geschenk! Ich war glücklich, dass ich mit diesem kleinen Buch den Menschen dieser faszinierenden Stadt, die mich auf so vielfältige Weise beschenkte, vielleicht etwas von dem wiedergeben konnte, was sie mir gegeben hatte.

Auf dem Weg nach Hause kam ich an einem ungewöhnlich hell erleuchteten Gebäude vorbei. Ich ging neugierig näher und traf auf den rastalockigen Grimm, der mit Vornamen tatsächlich so heißt wie die berühmten Märchenerzähler. Wir kamen ins Gespräch.

---

18 www.impulshefte.de

Er erklärte mir, dass ich gerade die Premiere der Kunst-Performance *Champs Elysees* in diesem Gebäude, einem alten Handelskontor, verpasst hatte. Grimm lud mich in das Innere der *Handelsbeurs* ein.

So etwas hatte ich noch nie gesehen. Das Gebäude war vor 15 Jahren aufgegeben worden. Nun war es vollkommen verwaist – wenn man mal von den unzähligen Tauben absah, die es sich hier heimisch gemacht hatten. Dieses aus dem 16. Jahrhundert stammende Gebäude musste einmal unendlich prachtvoll gewesen sein.

Um den Innenhof rankten sich Galerien, die mit kunstvollen Schnitzereien verziert waren, genau wie die hölzernen Säulen, die die Balkone weiter oben trugen. Sie waren mit Reliefs von geschnitzten Blüten und Pflanzen geschmückt. Durch die Bleiglasfenster fiel von außen Licht. Die hohe Decke schmückten die Wappen vieler Städte und Regionen. Oder hatten sie einmal geschmückt. Die Leinwand, auf die die Wappen gemalt worden waren, war an vielen Stellen zerrissen und hing in Fetzen herab. Das Holzparkett des Fußbodens war komplett herausgebrochen. Die einzelnen Schindeln lagen lose herum.

Über allem lag der Dreck von Jahrzehnten. Und Taubendreck. »Man kann hier Taubenleichen in jedem Stadium der Verwesung sehen«, erklärte mein Begleiter mir trocken. Erst am Vormittag hatte ich die am Stadtrand noch meterdick erhaltenen, unvergänglich wirkenden Wehrmauern bewundert. Und jetzt das.

Ich war fassungslos. Nie hätte ich es für möglich gehalten, wie schnell ein Gebäude zerfallen kann, wenn kein Mensch sich darum kümmert, man es der Zeit, den Elementen und den Tieren überlässt. Bauwerke hatte ich bisher immer für sehr dauerhaft gehalten, doch nun wurde mir deutlich, wie vergänglich alles auf dieser Welt ist – auch das, was man für unvergänglich hält.

Als ich genug gesehen hatte, verabschiedete ich mich noch von der sympathischen, zerbrechlich wirkenden Schauspielerin Christine*, die mir von ihren vergeblichen Versuchen erzählt hatte, im Leben Halt zu finden. Auf dem Rückweg durch die kalte, klare Nacht verstand ich, dass ich mich mein Leben lang dagegen gewehrt hatte, die Vergänglichkeit des Lebens zu akzeptieren. Vielleicht deshalb, weil wir alle das Paradies im Herzen tragen. Wir spüren zutiefst, dass unser Leben eigentlich ursprünglich nicht dazu gedacht war zu enden.

Dass Leid, Zerbruch, Trennung, Schmerz und Vergänglichkeit nicht zum ursprünglichen Plan gehören. Wir wehren uns in der Tiefe unserer Seele dagegen, die Realität der Vergänglichkeit anzuerkennen. Oder versuchen uns die Unvergänglichkeit zu erkaufen. In Form von Schönheitsoperationen. Fitness-Programmen. Oder Diamanten.

Antwerpen profitiert von dieser Sehnsucht der Menschen. Was ist unvergänglicher als ein Diamant, der »beste Freund eines Mädchens«? 40 Milliarden Dollar Umsatz werden in Antwerpen jährlich (!) mit Diamanten gemacht, Millionen von Diamanten werden hier gehandelt. Die meisten im Diamantenviertel in der Nähe des Bahnhofs, dessen glänzende Auslagen in starkem Kontrast zu den heruntergekommenen, gesichtslosen Fassaden des Bahnhofsviertels stehen.

Als ich an diesem Morgen an den Auslagen vorbei lief, wurde mir schnell klar: Kaufen würde ich hier wohl nichts. Ein Verkäufer, den ich aus reiner Neugier nach dem Preis eines Ringes fragte, versicherte mir, dass dieser mit nur 2.400 Euro ein echtes Schnäppchen sei. Bei dem Künstler, der ihn ursprünglich entworfen hatte, müsste man 24.000 Euro zahlen. Ah, auch bei Diamant-Schmuck gab es Plagiate.

Es gab sogar Second-Hand-Läden für Diamanten. »Heute werden uns mehr teure Schmuckstücke angeboten als vor der Wirtschaftskrise«, erklärte mir der Inhaber. Auch die ganz Reichen scheinen sich nicht mehr alles leisten zu können. Was er mit teuer meinte, sah ich in der Vitrine. Eine stilvolle Kette aus Diamanten und Smaragden, die ursprünglich 75.000 Euro gekostet hatte, wurde für »nur« 37.000 Euro angeboten.

In einem der Läden, der stilvollere und weniger protzige Schmuckstücke anbot als die Nachbarläden, erzählte mir der Inhaber, dass Antwerpen eine spezielle Schleiftechnik, den *Antwerp Cut*, entwickelt hatte, die dafür sorgt, dass das Licht sich optimal im Diamanten bricht. Das Ergebnis ist im wahrsten Sinne des Wortes brillant. »Antwerp Cut« ist ungefähr das, was bei Uhren »Made in Switzerland« ist.

Auch wenn Diamanten ewig sind – das Diamantengeschäft ist es nicht. Für den Inhaber war es der letzte Tag in seinem Laden. Er schloss ihn – nach 27 Jahren. Wenn schon Dinge vergänglich sind, die für die Ewigkeit gemacht scheinen, wie viel mehr dann Umstände, Menschen, Tiere und Beziehungen. Alles findet ein Ende. Früher oder später.

Wenn man sich bei einer Trauung verspricht, sich »ein Leben lang« treu zu sein, dann ist das sehr wörtlich zu verstehen. Man kann sich nicht zwei Leben lang treu sein. Eines der beiden Leben wird, wenn die Ehe bis zum Ende hält, früher enden als das andere – und wenn es nur um Sekunden ist. Treu sein kann man sich immer nur ein Leben lang.

Das Verrückte ist: Auch wenn wir rein theoretisch wissen, dass alle Dinge enden, erwarten und hoffen wir letztlich doch irgendwie, dass alles so bleibt, wie es ist. Zumindest das Schöne. Das Schlechte darf sich natürlich gern zum Besseren verändern.

Ich erkannte, wie viel unnötigen Schmerz und Stress Menschen sich selbst zufügen, wenn sie erwarten, dass alles Schöne unvergänglich und das Unvergängliche der Normalfall sei. Ich ahnte, dass man viel entspannter leben könnte, wenn man akzeptierte, dass nichts, aber auch wirklich nichts, so bleibt, wie es ist. Und dass es ein Geschenk ist, wenn man mitten in einer Welt der Vergänglichkeit einige unvergängliche Momente erlebt.

Diese Reise würde zu Ende gehen. Das wurde deutlich, als ich am Bahnhof die Rückfahrkarte zum Flughafen kaufte. Der Laden, der heute voll im Trend liegt, würde morgen vergessen sein. Selbst Häuser würden irgendwann verfallen. Das Kind, das auf der Straße spielte, würde nicht mehr lange Kind sein – vielleicht sogar viel zu früh sterben. Auch das alte Paar auf der Bank würde in wenigen Jahren Abschied vom Leben nehmen müssen.

Selbst das schönste Konzert – während ich dies schreibe höre ich einem Straßenmusiker zu, der sein Instrument wirklich beherrscht – ist irgendwann einmal zu Ende. Unvergänglichkeit gibt es nur im Himmel. Vergänglichkeit ist in dieser Welt der Normalfall. Das anzunehmen, entspannt. Man braucht nicht länger erwarten, dass alles Schöne und Wunderbare bleibt. Und dagegen ankämpfen, dass alles ein Ende hat. Nicht mehr ankämpfen gegen das, was sich nicht bekämpfen lässt. Was vorbei ist, ist vorbei.

Ich entschied mich, während ich den wunderbaren Tönen lauschte, das Vergängliche als das Normale zu akzeptieren und die zarten, wunderbaren, unvergänglichen Momente, die das Leben trotzdem bereithält, als Geschenk von Gott wahrzunehmen. Als wunderbare Ausnahme von der Regel der Vergänglichkeit.

Während ich das dachte, spielte der Geiger die letzten Töne eines Konzerts von Telemann. Die wunderbare Melodie schwebte noch einen Moment in der Luft – dann klang die Musik leise aus.

❧

KLEINE WEISHEIT

Es lebt sich leichter, wenn man akzeptieren kann, dass alles vergänglich ist – und die unvergänglichen, schönen Momente als besonderes Geschenk des Lebens wahrnimmt.

MAN NEHME ...

... verschiedene Gegenstände.

Nimm einige Dinge, die ganz neu sind und einige andere, die schon Spuren der Zeit tragen. Betrachte sie genau. Befühle sie. Versuche zu spüren: Fällt es dir leicht oder schwer, Veränderung zu akzeptieren? Komme mit Gott ins Gespräch.

WAS HILFT, VERGÄNGLICHKEIT ZU BEJAHEN?

Gelassen durchs Leben gehen. Vertrauen ist die Frucht einer Beziehung, in der du weißt, dass du geliebt bist.
—DIE HÜTTE, SEITE 144

Trotz der interessanten Dinge, die ich den Tag über entdeckte, blieb ich innerlich angespannt und zerrissen. Ich war nicht richtig anwesend, konnte kaum etwas aufnehmen. Ich merkte das auch daran, dass mir das Entscheiden – typisch für solche Zeiten – schwer fiel. Sollte ich heute oder morgen ans Meer fahren? Hier- oder dorthin gehen? Diesen oder jenen Pulli anziehen? Na gut, die letzte Entscheidung fiel relativ leicht, da ich ohnehin nur zwei Pullis dabei hatte. Die Frage, ob ich zum Meer fahren sollte, war weitaus schwerer zu beantworten, obwohl es auch dabei nur wenige Optionen gab.

Als ich am Bahnhof ankam, hatte ich den stündlichen Zug gerade um zwei Minuten verpasst. Ich hätte doch früher losgehen sollen. Oder vielleicht sollte ich den nächsten Zug nehmen. Aber dann wäre es schon 13 Uhr, bis ich dort ankäme. Außerdem hatte ich keine Sonnencreme dabei. Und einen Sonnenbrand brauchte ich eigentlich nicht. Vielleicht sollte ich es trotzdem machen ...

Meine Freundin Rosemarie, der ich kurz von meiner Zerrissenheit schrieb, gab mir einen guten Rat, der mich jedoch erst am Abend dieses etwas hektischen Tages erreichte: »Das ist das Tolle, was ich diesen Sommer gelernt habe, wenn solche ›Störungen‹ passieren, darauf zu achten, dass Gott mir auch dadurch entgegen kommen will.«

Es stimmt: Wenn man unachtsam mit sich selbst ist und solche Signale der Seele beiseite wischt, behandelt man letztlich eines von Gottes geliebten Kindern ziemlich mies – sich selbst. Meine Seele hatte mir durch Angespanntheit deutlich signalisiert, was ich brauchte: Ruhe – egal ob am Strand oder anderswo. Ich brauchte eine möglichst ruhige Umgebung, damit sich das intensive Geschehen des Vortages setzen und vertiefen konnte.

Doch obwohl ich die Signale wahrnahm, hörte ich nicht hin, sondern trieb mich weiter an – nicht zuletzt, weil mein Reiseführer schrieb, dass Museen in Antwerpen freitags kostenlos seien. Diese Vergünstigung wollte ich mir nicht entgehen lassen. Sonst würde ich es hinterher vielleicht bereuen.

Im schönen Barockgarten des Rubenshauses konnte ich keine Ruhe finden. Auch nicht im Rockox-Haus, dem Haus eines reichen Bürgers aus dem 16. Jahrhundert, das ich mir heute ansehen wollte – wegen des vermeintlich freien Eintritts an Freitagen. Ein Irrtum. Das Museum, das von einer großen Kreditbank unterhalten wird, verlangte an jedem Tag der Woche Eintritt. Auch Kreditbanken müssen heutzutage sparen.

Ganz anders als die reichen Bürger Antwerpens, deren Gaben an die Kirche im Inneren des Hauses in der Sonderausstellung *Gottesgaben* zu sehen waren. Im ersten Raum hing ein Kronleuchter, dessen Herstellung den Bürgermeister Rockox, der ihn stiftete, zwei Jahresgehälter gekostet hatte. Ähnlich teuer waren wohl die ausgestellten Kerzenständer, Möbelstücke und Altarbilder. Sie zeigten biblische Szenen in der Mitte und die Sponsoren an den Seitenflügeln.

Eine goldene Schale, die ein reicher Bürger vor etwa 400 Jahren gestiftet hatte, zog meine Aufmerksamkeit auf sich – vielleicht, weil das Motiv damals nur selten verwendet wurde. Sie zeigte den gottesfürchtigen Hiob, der mitten in seiner größten Lebenskrise auf einem Dunghaufen saß – über und über bedeckt von Geschwüren, die der Künstler meisterhaft in das Goldblech geritzt hatte.

Neben Hiob war seine Frau zu sehen, die ihm riet, sich von Gott loszusagen und zu sterben. Auf der anderen Seite ein Satyr, der wohl alle dämonisch-quälenden Stimmen symbolisieren sollte, die Hiob inmitten dieser schmerzhaften Situation zur Aufgabe seines Vertrauens auf einen guten Gott rieten.

Er folgte den Stimmen nicht, sondern blieb – mitten in all dem Schmerz – in einem offenen Dialog mit Gott. Der bedankte sich am Ende mit einem doppelten Happy End. Zum einen erhielt Hiob mehr, als er verloren hatte. Aber noch mehr als das.

Zu Beginn der Geschichte war Hiobs Glaube noch von der Anstrengung gekennzeichnet gewesen, es Gott recht machen zu wollen. Das zeigte sich in seinen beeindruckenden Bemühungen um ein anständiges Leben, den Spenden für die Armen und den Opfergaben, die er Gott brachte. Vorsichtshalber. Man wusste ja nie.

Er glich in seiner Haltung als hart arbeitender, sich Gottes Gunst aber nie sicher wähnender Mensch den holländischen Calvinisten. In seiner Bereitschaft, aus Dank, aber auch als geistliche Absicherung, große Opfer zu bringen, ähnelte er den Katholiken im Antwerpen des 16. Jahrhunderts.

Hiobs Geschichte ging gut aus. Am Ende war ihm Gott begegnet. Tief, mächtig, gewaltig und zugleich nah und persönlich. Er hatte ihm nicht auf alle seine Fragen Antworten gegeben. Genauer gesagt hatte er keine der vielen Fragen Hiobs direkt beantwortet. Aber er hatte ihm eine Antwort gegeben, die über alle Fragen hinausging: Ich sehe dich und nehme dich an. Ich, der mächtige und starke Gott, begegne dir. Als Gegenüber.

Die Veränderung, die diese Begegnung bewirkte, ist beeindruckend. Das verkrampfte Abmühen wich aus Hiobs Leben. Am Ende seiner Geschichte wirkte er – trotz der traumatischen Erfahrung – weit entspannter und gelassener als zu Beginn. Tiefer verankert in dem Vertrauen, dass Gott ihn sah, liebte, annahm und es zutiefst gut mit ihm meinte.

Dieser von Geschwüren zerkratzte Hiob berührte mich. Ich versuche nicht, wie manche Menschen im Belgien des 17. Jahrhunderts, meine Angst, Gott möglicherweise nicht zu genügen, mit großen Spenden und Opfern zu beschwichtigen.

Ich bin noch nie auf den Gedanken gekommen, zwei Jahresgehälter für Kirchenschmuck zu spenden, um mir damit Gottes Wohlwollen zu erkaufen. Aber ich kenne das Bemühen, alles richtig zu machen. Wie ein guter Calvinist. Ich bin mir nie sicher, ob ich Gottes Ansprüchen genüge – oder meinen eigenen. Manchmal denke ich unbewusst, ich müsste mir Gottes Anerkennung und Liebe erarbeiten.

Vielleicht findet Gott meine angestrengten Versuche, immer alles richtig zu machen, gar nicht wirklich erstrebenswert. Vielleicht ist es für ihn gar nicht so entscheidend, dass ich Fehler vermeide. Vielleicht wünscht er mir stattdessen ein Leben mit viel mehr entspannter Begegnung – wie er es Hiob am Ende schenkte. Oder in tieferer Geborgenheit in Gottes Liebe – so wie Mack es nach seiner Hütte-Erfahrung erlebte.

Vielleicht möchte Gott mir zeigen, dass meine Anstrengungen ohnehin nie dazu führen, dass ich seine Gunst bekomme – weil er Gott ist und mich ohnehin mehr liebt, als ich begreifen und erfassen kann.

Ich fragte mich, ob Gott einige der Misthaufen, auf denen ich immer noch festsaß, zugelassen hatte, weil er mich von viel größerem Mist befreien wollte: Meinen eigenen anstrengenden Versuchen, immer alles richtig zu machen und das ganze Leben im Griff zu haben.

Nach dem Museumsbesuch ging ich zu meinem Lieblingsplatz an der Stadtbibliothek. Dort spielte ein Geiger, der tatsächlich musikalisch war, herrliche Barockmusik: Bach, Telemann, Händel.

Ich setzte mich entspannt neben ihn auf den Boden, und hörte ihm zu. Wenn mir Gedanken kamen, schrieb ich sie auf. Ansonsten saß ich einfach da und lauschte. Wohl eine Stunde lang.

❧

KLEINE WEISHEIT

Gott nimmt dich an, wie du bist. Du kannst seiner Liebe zu dir durch eigene Anstrengung nichts hinzufügen.

MAN NEHME ...

... eine Bibel.

Lies Anfang und Ende aus dem Buch Hiob (Kapitel 1, Kapitel 38-42). Wo erkennst du dich wieder? Welche Taktiken kennst und praktizierst du, um »das Leben im Griff« zu haben? Wie begegnet Gott Hiob? Wie müsste er dir begegnen, was müsste er dir sagen, um dich zu mehr Gelassenheit und Vertrauen zu führen?

... eine Landkarte.

Schau dir verschiedene Regionen der Erde an. Welches Denken über Gott hat die Menschen in diesen Regionen geprägt: in Italien, England, Skandinavien, deiner Heimatregion und anderen Regionen deines Landes.

Wie würde wohl eine Kultur aussehen, die Gottes bedingungslose Gnade, Annahme und Liebe kennt? Wie würde deine persönliche Lebenskultur sich ändern, wenn du dich tiefer von ihm geliebt wüsstest? Hinweis: Dieses Rezept eignet sich besonders für Gruppengespräche.

DAS LEBEN FEIERN

Die Stunde ist kostbar. Warte nicht auf eine spätere, gelegenere Zeit.
—Katharina von Siena

Als »mein« Geiger aufgehört hatte zu spielen, machte ich mich auf den Weg zu meinem Lieblingsmuseum – in der Hoffnung, dass es noch geöffnet und tatsächlich kostenlos wäre. Auf dem Weg dorthin staunte ich darüber, wie viele Orte ich in Antwerpen als Lieblingsorte empfinde. Vielleicht liegt das daran, dass ich mir dort die Zeit nehme, sie wahrzunehmen, in ihrer Einzigartigkeit zu entdecken, sie mit den Augen der Liebe zu betrachten.

Unterwegs begegnete mir der Musiker mit der trompetenverstärkten Geige, den quietschenden Saiten und der großen Zahnlücke. Ich lächelte, als ich ihn sah. Irgendwie hatte ich ihn ins Herz geschlossen. Mit seiner Zahnlücke, seinem ernsten Bemühen, sich durchs Leben zu kämpfen. Es überraschte mich, wie sehr ich mich freute, ihn zu sehen. Ich mochte ihn gern – wenn er nicht spielte. Ich ahnte: Gott hat ihn auch ganz besonders gern – vielleicht sogar dann, wenn er mit großer Leidenschaft und nicht ganz so großem Talent spielt.

Vor dem Plantin-Moretus-Museum traf ich auf eine Gruppe gut gelaunter, lebhafter Damen im besten Alter, die allesamt lila Kleidung und rote Hüte trugen. Ein Mitglied der Gruppe erklärte mir, was es damit auf sich hatte. »Wir gehören zur *Red Hat Society* und sind Frauen im Alter von 50 und darüber, die alle ihre Aufgaben im Leben geleistet haben. Wir haben unsere Kinder großgezogen und uns jahrelang um andere gekümmert. Jetzt wollen wir die besten Jahre unseres Lebens in vollen Zügen auskosten. Wir wollen das Leben feiern und miteinander teilen.

Wir genießen unsere Freundschaft und Verbundenheit und die Erfahrungen, die wir miteinander teilen. Wir wollen dahin gehen, wohin das Leben uns als nächstes führt.« Sie reichte mir eine Visitenkarte, auf der das Motto der Damen stand: *Gute Laune, sprudelnde Energie, Interesse an anderen und kein Gejammer* und erwähnte noch, dass ein Gedicht von Jenny Joseph[19] – *Warnhinweis* – die Gründung des Clubs inspiriert hatte.

Wenn ich eine alte Frau bin, werde ich lila tragen mit einem roten Hut, was nicht zusammen passt und mir auch nicht steht.

Ich werde meine Rente für Brandy und Sommerhandschuhe ausgeben und Sandalen aus Satin.

Und behaupten, wir hätten kein Geld mehr für Butter übrig.

Ich werde mich auf den Bürgersteig setzen, wenn ich müde bin.

In Läden werde ich alle Proben abstauben, die ich bekommen kann, und den Alarm auslösen.

Ich werde mit meinem Gehstock auf öffentliche Geländer schlagen und so einen Ausgleich zum Wohlverhalten meiner Jugend finden.

Ich werde mit Slippern hinaus in den Regen treten und in anderer Leute Gärten Blumen pflücken.

Und ich werde lernen, wie man spuckt. ...

Aber jetzt müssen wir Kleider tragen, die uns trocken halten.

Und unsere Miete brav zahlen und in der Öffentlichkeit keine Schimpfwörter sagen.

Und ein gutes Beispiel für unsere Kinder sein.

Wir müssen unsere Freunde zum Essen einladen.

Und die Zeitung lesen.

Doch vielleicht sollte ich schon ein bisschen für die Zukunft üben.

So dass Menschen, die mich kennen, nicht allzu geschockt und überrascht sind, wenn ich plötzlich anfange, lila zu tragen.

---

19 www.redhatsociety.com – Das englische Original des Gedichtes findet man u. a. unter: www.poemhunter.com/poem/warning

Mich spricht die Idee der Damen an: Das Leben zu feiern und das Schöne, das Gott geschaffen hat, zu genießen, ist eine Möglichkeit, inmitten der Vergänglichkeit ein Stück Zeitlosigkeit und Ewigkeit zu erleben. Wie schön, wenn man das Vollkommene inmitten der Gegenwart des Unvollkommenen zum Blühen bringen kann.

Es ist unmöglich, die Vergänglichkeit aufzuheben. Aber jeder Mensch kann Materielles verwenden, um Immaterielles auszudrücken. Wenn ich die Wohnung meiner Freunde verschönere oder ihnen etwas schenke, dann drücke ich mit dem Materiellen etwas Immaterielles aus – Liebe, Zuneigung und Dankbarkeit. Wer Menschen in Krisengebieten materiell dabei unterstützt zu überleben, beschenkt sie und sich mit Wertschätzung für jedes Leben. Wer Schönes genießt, feiert das Leben und den Gott, der es geschenkt hat.

Aber ist der Blick auf die eigenen Bedürfnisse nicht selbstsüchtig? So meldete sich gleich meine innere kritische Stimme, die manchmal in den unpassendsten Momenten dazwischen quatscht und mir die Freude am Leben verderben kann. Da war sie wieder, die Angst, möglicherweise etwas falsch zu machen und damit Gott zu enttäuschen.

Ich wich ihr nicht aus, sondern dachte darüber nach und kam zu einem Ergebnis. Nein, es stimmt nicht. Gut auf eigene Bedürfnisse zu achten, macht nicht selbstsüchtig.

Menschen, die man gemeinhin als selbstsüchtig bezeichnet, sind oft gar nicht wirklich achtsam mit sich selbst. Oft fehlt ihnen das Gespür dafür, was ihre tatsächlichen, tiefen Bedürfnisse sind. Sie denken lediglich, bestimmte Dinge oder Aktivitäten würden ihre innere Leere befriedigen und sind gierig danach, sie zu bekommen. Sie kennen sich und das Leben zu wenig, um zu spüren, was ihnen wirklich fehlt.

Menschen hingegen, die sich selbst gut kennen und ihre tatsächlichen Bedürfnisse spüren, sind fast immer auch achtsam mit anderen. Wenn man sensibler wird, wird man es auf allen Ebenen. Wer sensibler wird, wird sensibler für sich – und für die tatsächlichen Bedürfnisse anderer Menschen. Nicht die vermeintlichen Bedürfnisse, die man aus Pflichtgefühl zu erfüllen sucht. Sondern das, was ein anderer Mensch tatsächlich braucht.

Ich selbst hatte in den vergangenen Jahren bewusst geübt, auf meine wirklichen Bedürfnisse zu achten. Das Erstaunliche dabei war, dass ich im Laufe dieses Prozesses nicht egoistischer und unsensibler wurde, im Gegenteil. Freundinnen fiel auf, dass ich achtsamer und aufmerksamer für ihre Bedürfnisse geworden war.

Mit der Sensibilität verhält es sich wie mit einer Medaille. Wenn sich die eine Seite – die achtsame Wahrnehmung der eigenen Bedürfnisse – vergrößert, wächst automatisch auch die andere Seite – die verbesserte Wahrnehmung der anderen. Wer sich als beschenkt erlebt, möchte auch andere Menschen beschenken.

Wer sorgsam mit sich ist, wird auch sorgsamer mit anderen. Wer Inspiration erlebt, kann gar nicht anders, als sie weiter zu geben. Wer gefüllt ist, will überfließen. Deshalb halte ich die Suche nach Dingen, die das Leben bereichern und ausfüllen, für weitaus erfolgversprechender für ein gutes Leben und gleichzeitig für entspannter als den angestrengten Versuch, aus Pflichtgefühlen heraus Gutes zu tun. Das führt nur zu Verkrampfungen. Menschen, die vom Pflichtgefühl getrieben sind, können sich in der Regel nicht leicht anderen Menschen liebevoll zuwenden. Sie sind viel zu sehr gefangen im eigenen »ich muss«, um zu sehen und zu spüren »du brauchst«.

Liebevolle Zuwendung zu uns und anderen wächst jedoch durch die Begegnung mit dem lebendigen Gott. Wer erlebt, wie Gott ist – Schöpfer, Meister, Herr und König, aber auch Freund, der mit uns das Abenteuer Leben bestreiten und feiern will – wird unweigerlich den Wunsch verspüren, den erlebten Reichtum zu teilen. Er wird entdecken, dass Gott mit uns und durch uns andere bereichern und beschenken will und kann.

Ich mag die Frage: »Was würdest du heute tun, wenn du dir ganz sicher wärest, dass Gott dich absolut liebt?« Nicht immer weiß ich die Antwort darauf, aber an diesem Tag war mir klar: Ich würde in mein Antwerpener Lieblingsmuseum Plantin-Moretus gehen – in dem fröhlich geborgenen Wissen und Vertrauen darauf, dass Gott sich mit mir an dem freut, was mich begeistert.

In dem, was Menschen meisterhaft tun, entdecke ich einen kleinen Abglanz von Gottes Kreativität und Schönheit. Was Plantin und sein Nachfolger Moretus, die wohl besten Drucker des 16. Jahrhunderts, geleistet haben, beeindruckt mich. Plantins Meisterwerk ist die *Biblia Polyglotta*, eine Bibelausgabe in fünf Sprachen: Hebräisch, Griechisch,

Latein, Aramäisch und Syrisch. König Philipp finanzierte das teure und ambitionierte Projekt und entsandte seinen Hofkaplan Benito Arias Montanus als wissenschaftlichen Begleiter. Plantin war anfänglich nicht begeistert über diesen »Pottekijker« (»Topfgucker« – so etwas wie ein Schnüffler), aber im Lauf der Zeit wurden sie Freunde und stemmten gemeinsam dieses wegweisende Projekt.

Als Verlegerin bewundere ich sie aus ganzem Herzen. Im Korrekturraum konnte man historische Druckbögen sehen, die noch fehlerbehaftet waren. Wenn Korrektoren Fehler fanden, mussten die entsprechenden Buchstaben aus der Druckplatte entfernt und durch die richtigen Buchstaben ersetzt werden. Eine diffizile und schmutzige Arbeit. Ein Buch zu lektorieren ist bis heute mühsam und dauert häufig länger als das Schreiben des Textes. Es gelingt nur selten bis zur Perfektion. Meinen Lesern sage ich deshalb gern: »Wer einen Fehler findet, darf ihn behalten.« Wann immer mich der mühsame Lektoratsprozess nervt, denke ich, wie viel mühsamer es für Plantin und seine Mitarbeiter war. Hut ab vor ihrer Leistung.

Damit nicht nur der Inhalt gehaltvoll ist, sondern ein Buch auch gut lesbar wird, ist ein klares Schriftbild sehr wichtig – das wurde von Stempelschneidern und Schriftgießern entwickelt. Im oberen Stockwerk des Museums konnte man die Stempel und beweglichen Lettern für die unterschiedlichen Schriften sehen – sogar für arabische, hebräische, griechische und aramäische Texte.

Die ausgestellte Gutenberg-Bibel war noch in Gotischer Schrift gedruckt worden, deren enge, hohe Lettern nicht leicht zu lesen waren. Die neue Zeit brauchte auch eine neue, leichter lesbare Schrift. Ich freute mich, dass ich in einem der Schaukästen die historischen Stempel für eine Schrift entdeckte, die der berühmte Schriftgießer Garamond (1499-1561) mit entwickelt hatte und die bis heute verwendet wird.

Darf ich mich vorstellen: Ich bin Garamond – die Schriftart, die Sie hier lesen. Zur Zeit der Renaissance war ich eine der beliebtesten Schriften, weil ich besonders angenehm fürs Auge war. Später wurden weitere, zum Teil noch schlankere Schriftarten entwickelt. Aber es spricht wohl für mich und meine Qualität, dass ich bis heute gebraucht werde, zum Beispiel hier. Ich empfehle mich.

KLEINE WEISHEIT

Das Leben darf jetzt gelebt werden – voller Leidenschaft. Man ehrt Gott, wenn man das Leben genießt und feiert, das er schenkt.

MAN NEHME ...

... kleine Karten und einen Stift.

Schreibe wenigstens ein Dutzend Dinge auf, die du schon immer mal tun wolltest, weil sie Freude machen, schön sind und weil sie deiner Art entsprechen, das Leben zu feiern, das Gott dir geschenkt hat. Dinge, die du bisher immer auf später verschoben hast.

Entscheide dich, welches davon du in diesem Monat tun willst. Trage die anderen für später in deinen Kalender ein.

... ein lila Kleidungsstück, einen roten Hut und einen oder mehrere lebensfrohe Menschen.

Unternehmt gemeinsam etwas, was euch viel Freude macht. Schert euch einen Dreck darum, was die anderen Leute über eure Kleidung denken. Wenn euch das in eurer Heimatstadt zu heikel ist, geht anderswo hin.

TAG 6
ENTGEGEN-NEHMEN

TAG 6
JEDER MOMENT

Das Leben ist eine Kette von Momenten.
Jeden einzelnen zu leben, bedeutet, sein Ziel zu erreichen.
—MORITA KENT

1 cm gegen 168. 1 cm gewann. Stechmücke gegen mich. Es war ein taktischer Fehler gewesen, die Wohnung in der Abenddämmerung zu lüften. Das Miststück hatte das offene Fenster wohl irrtümlich als Einladung verstanden, hereinzukommen und sich an meinem Blut zu bedienen. Ich zog die Bettdecke bis an die Nasenspitze, schlug auf mich selbst ein, wenn ich ein Surren hörte, und fragte mich, wann das gierige Insekt denn endlich genug haben würde.

Immerhin konnte ich mich an den Traum erinnern, den ich zuvor hatte: Ich war in einen falschen Zug eingestiegen, merkte es aber schon bei der ersten Station und nahm eine Tram zum Ausgangspunkt zurück. In der Tram fand ich einen 100 DM-Schein. Ich teilte den Passagieren mit, dass ich den an mich nehmen und dem Projekt *Alte DM neue Hoffnung* zuführen würde.[20] Ich freute mich über das Geschenk und bereute den unfreiwilligen Umweg nicht.

Das ist leider nicht immer der Fall. Meistens ergeben Fehler und Umwege keinen erkennbaren Sinn, nicht immer sind auf den Irrwegen unerwartete Geschenke zu finden. Das Bereuen ist dann umso größer. Manche Menschen treffen aus Angst, sie könnten später etwas bereuen, die falschen Entscheidungen.

---

20 Die Hilfsorganisation Shelter Now (www.shelter.de) sammelt auf meine Idee hin Pfennige, Markstücke und Scheine, tauscht sie in Euro um und pflanzt von dem Geld Obstbäume in Afghanistan. Bislang sind mehr als 5000 DM zusammengekommen. Ein Baum, der eine Familie jahrzehntelang ernährt, kostet je nach Sorte 1-3 Mark.

So wie an dem Tag, als ich aus Angst, ich könnte es später bedauern, den kostenlosen Eintritt ins Museum nicht genutzt zu haben, nicht ans Meer gefahren war. Und dann den Tag damit verbracht hatte, unruhig durch die Stadt zu laufen und zu bereuen, dass ich nicht ans Meer gefahren war.

Ich erinnerte mich an eine interessante Beobachtung, von der ich einmal gelesen hatte: Wenn Menschen sich versehentlich Karten für zwei unterschiedliche Skigebiete für den gleichen Tag gekauft haben, würden sie meist zu dem Skigebiet fahren, für das die Karten teurer waren – selbst wenn das andere ihnen mehr Freude bereiten würde. Der Grund: Die Furcht zu bedauern, dass man so viel Geld umsonst ausgegeben hat.

Es ist durchaus sinnvoll, bei Entscheidungen zu berücksichtigen, was man hinterher möglicherweise bedauern könnte. Dennoch: Wer den Blick vor allem auf das richtet, was er später vielleicht bedauern könnte, befindet sich gedanklich nicht in der Gegenwart, sondern mit dem Kopf in der Zukunft.

Letztlich ist das eine Haltung der Angst. Der Angst, man könnte hinterher etwas bedauern. Dort, wo Angst sich breit macht, ist kein Raum mehr für Liebe. Und auch kein Raum für angemessene Fürsorge für einen selbst.

Nach der Erfahrung des Vortages hatte ich Gott am Abend zuvor gebeten, mir zu erklären, wie ich in Situationen, in denen ich Anspannung spüre, besser auf mich achten könnte. In der Nacht, als ich wach lag, fand ich im Dialog mit ihm erste Antworten. Ich »hörte«, dass Gott mich ermutigte, so leben zu lernen, dass ich gut auf mich und das achten würde, was für diesen Moment gut und richtig war.

Also entschied ich mich, am nächsten Morgen nicht ans Meer zu fahren, weil ich ahnte, dass zwei mal zwei Stunden Zugfahrt nicht das waren, was ich jetzt brauchte. Stattdessen wollte ich in Antwerpen bleiben und einen Tag lang einüben, so zu leben, dass ich nichts bereuen würde.

Ich wollte viel entspannte Zeit auf dem Balkon verbringen und den ganzen Tag über liebevoll mit mir umgehen. Ich wollte darauf achten, was ich brauchte, welche Signale mein Körper und damit auch mein Herz mir gaben, was in dem jeweiligen Moment gut und sinnvoll wäre.

Auf einer Fotografie des *Journeys Projektes*[21], das Szenen aus dem Leben Jesu nachstellt, ist Jesus zu sehen, der entspannt und gelassen an einem Tisch sitzt und die schlichte Mahlzeit, die ihm vorgesetzt wurde, genießt. Er lächelt, ist präsent und freut sich an dem, was er hat. In der Ecke des Raumes steht ein Mann in schickem Businessanzug, der ängstlich einige Baguettes festhält. In seinem Gesicht ist die Sorge zu lesen, die große Menge Brot könnte dennoch nicht genügen. Er genießt sein Leben nicht.

Jesus antwortete auf die Frage, was denn das größte aller Gebote sei: »Du sollst Gott, den Herrn, von ganzem Herzen, ganzem Verstand und ganzer Kraft lieben. Und deinen Nächsten wie dich selbst.«[22] Gott zu lieben beginnt damit, ihm zu begegnen, seine Liebe wahrzunehmen und darauf zu reagieren. Menschen zu lieben beginnt immer zuerst bei dem Menschen, in dessen Haut man steckt: einem selbst.

Jesus sagt klar: Man soll andere lieben wie sich selbst. Nicht anstelle von sich selbst. Wer auf sich selbst gut achtet, wird auch andere leichter in den Blick nehmen. Wer lieblos mit sich selbst umgeht, wird anderen gegenüber nur schwer liebevolles Verhalten an den Tag legen können.

Vielleicht war ja die Aufgabe zu lernen, Gottes Liebe mehr anzunehmen und liebevoller mit mir selbst umzugehen, der Lernstoff für mein zweites Lehrjahr im Handwerk der Liebe.

Die Mücke hatte ihr Werk getan. Ich wachte am nächsten Morgen mit Kopfschmerzen auf, nahm eine Aspirin und ein großes Glas Orangensaft zu mir, kochte mir einen starken Kaffee und gönnte mir eine ausgiebige Dusche. Aber zuerst beging ich einen Mord. Ich trieb die Stechmücke aus ihrem Versteck hinter dem Kleiderständer hervor und schlug zu. Und ging ohne Bedauern in den Tag, den ich in achtsamer Präsenz für Gott und mich leben wollte.

œɔ

---

21 www.thejourneysproject.com
22 Matthäusevangelium, Kapitel 22, 36-40

KLEINE WEISHEIT

Liebe beginnt bei Gott. Er liebt.
Ich empfange seine Liebe.
Ich liebe mich und gebe Liebe an andere weiter.

MAN NEHME ...

... Zeit und Emotionen.

Was spürst du jetzt gerade in diesem Moment? Freude, Anspannung,
Rührung, Ärger, Frustration ...? Was könnte in diesem Moment lie-
bevolles Verhalten dir selbst gegenüber sein? Gymnastik, eine Pause,
Reflexion, Kommunikation mit einem Menschen oder mit Gott?

ES KOMMT MIR ENTGEGEN

Mit Güte kann man fast jeden Menschen überraschen.
—PEARL S. BUCK

Den ganzen Morgen trödelte ich herum. Betete. Las in einem der Bücher, die ich mitgebracht hatte. Und beantwortete mal kurz eine Anfrage für ein Telefon-Coaching, als das Internet für einen kurzen Moment gnädig genug war, sich mir zu öffnen. Ich schrieb für künftige Besucher dieser Wohnung eine Wegbeschreibung zu den wenigen Stellen mit öffentlichem Internetzugang, um ihnen ähnlichen Frust wie mir selbst zu ersparen.

Dann schrieb ich weiter und formulierte Passagen aus, die ich nur in Stichpunkten festgehalten hatte. Trank Orangensaft, wenn mir danach war, machte Gymnastik oder saugte die Wohnung, wenn mein Körper das Bedürfnis nach Bewegung signalisierte. Kurz: Ich war einfach gut zu mir. Wann immer Gedanken voll Sehnsucht, Irritation, Verwirrung oder Unruhe hochkamen, versuchte ich, sie entgegenzunehmen, wahrzunehmen: Was bewegt mich gerade? Was bewegt mein Herz? Was will mein Gott mir vielleicht sagen?

Mittags stürzte ich mich ins Getümmel. Halb Belgien war, wie jedes Wochenende, auch an diesem Samstag nach Antwerpen gekommen, um einzukaufen. Je nach Geldbeutel entweder in den großen Modeketten oder in den edlen Boutiquen der Seitenstraßen, wo ein Kleidungsstück schon mal ein halbes Monatsgehalt kostet – zumindest in den Kategorien, in denen ich denke.

Ich wollte nur kurz einige Besorgungen machen. Duschgel, Shampoo, Milch und Müsli. Ich genieße den Luxus, derartiges nicht einpacken zu müssen, wenn ich nach Antwerpen komme.

Ich darf nutzen, was vorhanden ist, und wenn etwas zur Neige geht, besorge ich Nachschub. Begeistert hatte ich entdeckt, dass ich ein rotes Shirt und eine lila Jacke dabei hatte und dass ein roter Hut von Amy an einem Kleiderständer hing. In Erinnerung an die Damen vom Vortag zog ich mich rot-lila an, um das Leben zu feiern.

Auch dabei wollte ich gut auf mich achten und spüren, was ich im jeweiligen Moment brauchte. Das ging auch halbwegs gut. Wie man gut auf sich achtet, wenn man in einer langen Kassenschlange steht und direkt vor einem die Papierrolle ausgeht, muss ich allerdings noch entdecken.

Ursprünglich hatte ich vorgehabt, mir auf der Reise ein oder zwei Kleidungsstücke für den Winter zu kaufen. Zum einen, weil ich nicht mehr viel Passendes zum Anziehen hatte – auch meine männlichen Leser dürfen mir das glauben. Zum anderen, weil ich es wunderbar finde, wenn ich Kleidung mit Erinnerungen an schöne Zeiten verbinden kann. Doch schon zu Beginn meiner Zeit in Antwerpen hatte ich gespürt, dass die Suche nach passender Kleidung mich dieses Mal nur ablenken würde – auch wenn ich sie zu anderen Zeiten durchaus als Abenteuer mit Gott gestalten kann.

Die meisten Belgierinnen – vor allem, wenn sie erst einmal über 50 Jahre alt sind – sind sehr elegant und modisch gekleidet. Echte Ladies. Selbst Toilettenfrauen sind eher Toilettendamen, tragen edlen Schmuck, feine Kleidung, sind perfekt geschminkt und manikürt. Beeindruckend. Mit meinen Entdecker-Klamotten, bequemen Jeans und Turnschuhen, kam ich mir fast wie ein Landei vor.

Unter der Vielzahl der gut gekleideten Frauen besonders aufzufallen, ist schon eine Kunst, aber eine kleine, blonde Dame zog meinen Blick auf sich. Sie war etwa Mitte sechzig, vielleicht auch schon siebzig, und trug ein extrovertiertes, lila-schwarz-gelb-weißes, ausgesprochen attraktives Kleid. Spontan ging ich auf sie zu, sagte ihr, wie gut mir das Kleid gefiele, und fragte sie, wo sie es gekauft hatte. Mit einer rauchigen Stimme, der man den Zigarettenkonsum von Jahrzehnten anmerkte, erklärte sie mir den Weg – auf Französisch. Puh!

Das wenige, was ich verstanden zu haben meinte, entpuppte sich als falsch. Doch nach einer Weile fand ich den Laden, der spanische Kleidung, in den intensiven Farben Picassos und Goyas, anbot: Kleidungsstücke, die wie für mich gemacht schienen – ausdrucksstark, unkonventionell und feminin.

Zwanzig Kleider und eine immer noch freundliche Verkäuferin später entschied ich mich für ein schwarz-rotes Kleid und einen bunt gemusterten Rock. Glücklich, dass ich – ohne Anstrengung – etwas gefunden hatte, was genau zu mir passte, ging ich nach Hause. Ich empfand diese Begebenheit als eine von Gottes Ermutigungen. Er schien mir sagen zu wollen: »Das, was du suchst, kommt dir entgegen.«

Es gibt Menschen, für die es wichtig ist zu hören: »Streng dich an. Mach was. Kämpfe für das, was du haben möchtest.« Sie brauchen Motivation, um Verantwortung zu übernehmen und Dinge anzupacken. Zu diesen Menschen gehöre ich nicht. Für mich war es wichtig zu hören: »Du musst dir nicht alles durch eigene Anstrengung verdienen. Ich beschenke dich gerne. Es macht mir Freude, etwas für dich vorzubereiten, das genau zu dir passt, und dann zu sehen, wie du es entdeckst. Ich liebe es, dich zu überraschen. Geh mit offenen Augen und offenem Herzen durchs Leben. Hör auf dein Herz und auf meines. Das, was zu dir passt, wird dir entgegen kommen. Du wirst es sehen.«

♋

KLEINE WEISHEIT

Gott will mich beschenken. Das, was ich suche, kommt mir entgegen.

MAN NEHME ...

... Zeit und bequeme Schuhe.

Mache einen Spaziergang. Achte bewusst auf das, was dir entgegen kommt. Vielleicht berührt dich Gott durch das eine oder andere, das du siehst.

GOTT BITTEN

Zum Bittgebet gehört beides: die Gewissheit der Erhörung und der
restlose Verzicht, nach eigenem Plan erhört zu werden.
—KARL RAHNER

Noch Tage später bewegte es mich, wie direkt Gott auf meine Bitte
»Herr, zeig mir deine Liebe!« geantwortet hatte. Ich hatte mir genau
überlegt, worum ich ihn bitten wollte, und es ihm dann mutig und
klar gesagt. In einem Satz. »Nicht plappern wie die Heiden« – das hat
Jesus mal als Rat fürs Beten gegeben. Lieber kurz und knapp.

In den Monaten und Jahren zuvor hatte ich kaum noch gebetet.
Nein, das stimmt nicht. Gott und ich sind eigentlich viel und ständig
im Gespräch. Doch nach dem Schock der nicht erhörten Herzensge-
bete war mir das konkrete Bitten um Unterstützung, Hilfe, Veränderung oder Gottes Eingreifen sehr schwer gefallen. Ich bat ihn um fast
nichts mehr. Und erlebte auch kaum mehr die Freude, Gebete erhört
zu sehen. Die meisten meiner Gebete wurden schon deshalb nicht erhört, weil ich sie gar nicht erst betete.

Ich hatte viel zu viel Angst davor, wieder enttäuscht zu werden. Etwas zu erhoffen und zu erbitten und dann mit dem Schmerz leben
zu müssen, dass Gott dieses Gebet offensichtlich nicht beantwortet.
Zu befürchten, dass er mich womöglich nicht hört. Es gibt für mich
kaum etwas, was sich schrecklicher anfühlt.

Ich hatte Angst davor, mit den Gedanken und inneren Anklagen
leben zu müssen, die sich bei mir einstellen würden, wenn ein Gebet wieder nicht erhört wurde. Weil der Fehler per Definition ja nicht
beim unfehlbaren Gott liegen kann, würde ich denken: Vielleicht
stimmt etwas mit dir nicht? Gebete anderer erhört Gott ja, aber deine?

Verspricht nicht Jesus selbst, dass er unsere Gebete erhört? Der Evangelist Matthäus hat in seinem Evangelium, Kapitel 7, 7-11 aufgezeichnet, was Jesus seinen Zuhörern über Gebet erklärte.

Bittet, so wird euch gegeben; suchet, so werdet ihr finden; klopfet an, so wird euch aufgetan. Denn wer da bittet, der empfängt; und wer da sucht, der findet; und wer da anklopft, dem wird aufgetan.

Ganz klar. Man betet und wird erhört. Und um den Skeptikern jeden Zweifel zu nehmen, setzt Jesus noch einen oben drauf und vergleicht Gottes bereitwillig gebende Liebe mit der Liebe eines menschlichen Vaters:

Wer ist unter euch Menschen, der seinem Sohn, wenn er ihn bittet um Brot, einen Stein biete? Oder, wenn er ihn bittet um einen Fisch, eine Schlange biete? Wenn nun ihr, die ihr doch böse seid, dennoch euren Kindern gute Gaben geben könnt, wie viel mehr wird euer Vater im Himmel Gutes geben denen, die ihn bitten!

Obwohl ich diesen Text schon oft gehört und selbst zitiert hatte, hatte ich – bis zu diesem Vormittag – nie wirklich verstanden, dass da nicht steht: »Bittet und es wird euch genau das gegeben, worum ihr bittet.« Jesus erklärte stattdessen, dass ein guter Vater uns keine giftige Schlange gibt, wenn wir um einen Fisch bitten. Das ist eindeutig. Er gibt uns nichts Fieses, Gemeines, Gefährliches und Ekliges, wenn wir um Lebensnotwendiges bitten.

Diese Passage sagt klar und deutlich, was er uns nicht gibt. Aber sie sagt nicht aus, dass Gott uns auf unsere Bitte um Fisch notwendigerweise *immer* den gewünschten Fisch gibt. Es steht nur da, dass er uns Gutes gibt. Das Gute kann – aus Gottes Perspektive – durchaus etwas anderes sein, als wir uns vorgestellt haben.

Das hatte ich einmal eindrücklich in meiner Studentenzeit erlebt, als ich in den Ferien als Fremdenführerin jobbte. Weil ich finanziell abgebrannt war und keine Schulden machen wollte, aber mein Gehalt erst am Ende der Sommersaison bekommen würde, bat ich Gott jeden Morgen um genügend Trinkgeld, um die Ausgaben des Tages wie Lebensmittel, Benzin etc. zu bestreiten. An einem Tag floss das Trinkgeld sehr, sehr spärlich. In der Mittagspause redete ich mit Gott darüber. Ich empfand, dass er mir sagte »Ich werde dir etwas Besseres geben als Trinkgeld.« Das begeisterte mich nicht sonderlich.

Ich dachte, er spräche von etwas Symbolischem wie etwa einer besonderen Begegnung. Darauf war ich nicht wirklich erpicht, ich brauchte schließlich am Ende des Tages handfestes Geld, um meinen Beitrag für das Essen unseres wöchentlichen WG-Abends zu leisten. Am Ende des Nachmittags war noch immer fast kein Trinkgeld hereingekommen. Mein Chef kam zu mir. »Ich habe mehrere Eisbomben von unserem Lieferanten geschenkt bekommen. Ich kann sie nicht alle lagern. Willst du eine haben?« Und ob ich wollte. Nie hätte ich mir in meiner Studienzeit so etwas Edles gegönnt. Mein Lieblingseis. Cremig, sahnig, lecker – mit karamellisierten Walnüssen. Herrlich. Gott hatte mein Gebet erhört. Ganz anders, als ich es erwartet hatte. Viel besser.

Im Nachdenken darüber und über die Aussagen Jesu fand ich eine Antwort auf meine Frage, wie ich denn beten könnte, wenn Gott meine Gebete nicht immer erkennbar erhört: Ich konnte darauf vertrauen, dass er mir Gutes geben würde. Auch wenn es anders aussah, als ich es erbeten hatte.

Eine zweite Antwort entdeckte ich im Rückblick auf eine Erfahrung aus dem letzten Jahr. Teil meiner Ausbildung zum systemischen Coach und Supervisor war es, dass wir selbst von einem erfahrenen Supervisor begleitet wurden. Die Themen für die Supervisionssitzungen durften wir uns ebenso aussuchen wie den Supervisor.

Ich ging davon aus, dass ich bei einem Coach, der grundverschieden von mir ist, mehr lernen könnte als bei einem, der mir ähnlich ist. Ich entschied mich für Siang Be, weil ich ihn mochte und immer als angenehm und wohltuend erlebt hatte. Und weil er so verschieden von mir ist. Er ist Mann, Asiate und meistens so gelassen, dass Buddha neben ihm wie ein Hektiker wirkt.

Da, wo ich manchmal so zielstrebig bin, dass es mir selbst den Atem raubt, ist Siang entspannt. Da, wo ich meine, Dinge unbedingt sofort verändert sehen zu müssen, vertraut er darauf, dass die Dinge sich schon fügen werden und dass zu viel Anstrengung nur schadet.

In den Wochen vor einer unserer Supervisionssitzungen hatte ich intensiv gegrübelt. Ich hatte die Idee zu einer neuen Serie von frischen, innovativen Monatsbegleitheften – den Quadros[23].

---

23 www.meinquadro.de

Die Quadros würden ein Thema in 28 kurzen, prägnanten Tagesabschnitten behandeln. Ich war begeistert von dem Konzept und hoffte, dass auch andere es gut finden würden.

In der Vergangenheit hatte ich mich jedoch oft geirrt. Ich hatte erleben müssen, dass manche meiner Projekte gescheitert und vermeintlich tolle Ideen von anderen Menschen nicht angenommen worden waren. Wenn man Bücher im Wert von Hunderten von Euro im Altpapiercontainer entsorgen muss, weil sie trotz aller Anstrengungen keine Abnehmer finden, bekommt der Ausdruck »Lehrgeld bezahlen« eine sehr reale Bedeutung.

Ich erzählte Siang, wie schwer es mir auf Grund der bisherigen Erfahrungen fiel, mich auf das Projekt zu freuen.

»Aber du musst dich doch gar nicht freuen«, erwiderte er mit seiner üblichen Gelassenheit.

»Ich will mich aber freuen!«, protestierte ich mit meiner gewohnten Intensität. »Aber ich weiß ja nicht, ob es klappt.«

»Das kannst du unmöglich wissen. Keiner kann die Zukunft voraussagen. Ob es geklappt hat, weißt du erst hinterher. An der Zukunft kannst du deine Freude nicht festmachen.«

Natürlich hatte er Recht. Man kann Prognosen abgeben und Wahrscheinlichkeitsüberlegungen anstellen. Doch was die Zukunft bringt, weiß man tatsächlich erst, wenn sie da ist. Siang begleitete mich in den folgenden 60 Minuten mit systemischer Fragetechnik und persönlicher Gelassenheit dabei, die Antwort auf die Frage zu finden, worin ich denn meine Freude verankern könnte.

Am Ende war mir klar: Ich würde mich entscheiden, ob ich das Risiko tragen konnte und wollte. Meine Freude würde ich nicht an der ungewissen Zukunft und der unsicheren Hoffnung auf künftigen Erfolg festmachen. Ich entschied mich vielmehr, mich darüber zu freuen, dass ich zum jetzigen Zeitpunkt an etwas arbeitete, was mir Freude machte und was ich jetzt für klug und richtig hielt.

Die nächsten Monate gehörten zu den glücklichsten meines beruflichen Lebens. Ich genoss es, die Quadros zu entwickeln, und hatte keine Angst vor Enttäuschung. Falls ich kein einziges Stück verkaufte, würde ich mir dennoch keine Vorwürfe machen. Schließlich hatte ich mich klar entschieden. Ohne Angst.

Als ich in Antwerpen an diese Erfahrung zurückdachte, fragte ich mich, ob man mit der gleichen inneren Haltung beten kann. Was die Zukunft bringt, weiß man nicht. Wie Gott das Gebet erhören wird, kann man auch nicht mit Gewissheit sagen.

Aber vielleicht ist es möglich, die Freude am Gebet in einer bewussten Entscheidung zu finden: Ich entscheide mich, Gott um diese oder jene Sache zu bitten. Nach allen mir zur Verfügung stehenden Informationen lohnt es sich, dies zu tun.

Wenn er es so erhört, wie ich es erhoffe, ist es wunderbar. Wenn er es nicht in der erwünschten Weise tut, dann weiß ich trotzdem, dass es gut war, ihn zu bitten. Weil ich mich – nach bestem Wissen und Gewissen – dafür entschieden habe, ihm diese Sachen anzuvertrauen.

Einige Menschen in der Bibel haben so gebetet. Zum Beispiel drei Juden mit den wohlklingenden Namen Schadrach, Meschach und Abed-Nego, die sich geweigert hatten, sich vor dem Bild eines despotischen Herrschers anbetend niederzuwerfen, und dafür das Todesurteil erhielten. »Wir haben unseren Gott gebeten, uns zu retten. Aber wenn er es nicht tut, werden wir ihm trotzdem folgen.«

Oder Esther, die sich, als ihr Volk vom Genozid bedroht war, auf den Weg zu einer Audienz mit dem König machte. Ungefragt zu einer Audienz zu erscheinen, hätte sie ihren schönen Kopf kosten können – nicht gerade die besten Voraussetzungen für ein entspanntes Gespräch. Sie wagte es trotzdem.

All diese Geschichten hatten – ebenso wie die Quadros, die bei den Menschen gut ankamen – ein Happy End. Das Risiko hatte sich gelohnt.

Schadrach, Meschach und Abed-Nego überlebten den Versuch, sie umzubringen, und schafften es in die Liste der Glaubenshelden der Bibel.[24] Und Esther fand Gnade bei König und Gott.

Millionen von anderen Gebeten wurden nicht auf die vom Beter gewünschte Weise erhört – manche Menschen mussten unermessliches Leid ertragen. Die, die so vertrauensvoll gebetet haben, werden trotz ihrer scheinbar nicht erhörten Gebete in der Bibel als Helden des Glaubens bezeichnet.

---

24 Hebräerbrief, Kapitel 11

Bonhoeffer drückte seine Hoffnung auf Rettung mit den Worten aus: »Und willst du (Gott) uns noch einmal Freude schenken, an dieser Welt und ihrer Sonne Glanz ...«. Sein Gebet wurde nicht erhört. Er wurde hingerichtet.

Ich fragte mich: Würde ich es wieder wagen, Gott mutig und klar um Dinge zu bitten, weil ich es zu diesem Zeitpunkt für die richtige Bitte hielt – auch wenn ich nicht sicher sein konnte, wie er antworten würde? Meine Antwort war: Ja!

☙

KLEINE WEISHEIT

Man entscheidet sich nicht, etwas zu beten, weil man voraussagen kann, wie es erhört werden wird. Man entscheidet sich, Gott zu bitten, weil man ihn bitten will.

MAN NEHME ...

... eine Portion Mut.

Stell dir vor, du hättest nur eine einzige Bitte, die du an Gott richten dürftest. Worum würdest du ihn bitten? Wenn du magst, dann wage es!

TAG 7
GEGEN-ÜBER

TAG 7

YOU ARE NOT ALONE –
DU BIST NICHT ALLEIN

Es ist im Dunkeln besonders schön, an das Licht glauben zu können.
—Text an einem Schaufenster

Sonntag. Ruhetag. Einer meiner Lieblingstage der Woche. Neben den sechs anderen, die ich auch sehr mag. Ich genieße die Dynamik des Montags, die ordnende Kraft des Dienstags, das produktive Gefühl des Mittwochs, die kleinen Höhepunkte, die ich am Donnerstag gestalte, die Freude auf Unternehmungen am Freitag, die Zeit für Freunde am Samstag. Und die Ruhe des Sonntags.[25]

Ich zelebriere diesen Tag in der Regel mit einer großen Tasse Kaffee, Kerzen und viel Zeit, meine Seele baumeln zu lassen, und für den Dialog mit Gott.

Unter dem Fenster der Antwerpener Wohnung steht ein Feigenbaum. Immer wenn ich die Blätter betrachtete, die wie eine überdimensionale Hand mit fünf Fingern aussahen, musste ich an die Geschichte von Adam und Eva und dem Feigenblatt denken – und schmunzeln. Ich hätte verstehen können, wenn die beiden großflächige Rhabarberblätter genommen hätten, um sich zu bedecken. Aber Feigenblätter? Die eignen sich nun wirklich nicht! Nicht als Kleiderersatz. Und noch weniger, um innere Ängste zu verstecken.

Viele Menschen glauben, dass Gott Adam und Eva aus dem Garten warf, weil er sie nicht mehr sehen konnte und wollte. Das glaube ich nicht.

---

25 Mehr über den Rhythmus der Schöpfung habe ich in *Swing. Dein Leben in Balance,* Down to Earth, 2. Auflage 2006 geschrieben.

Gott wünschte sich auch nach ihrem Ungehorsam die Begegnung mit ihnen. Er suchte sie. Doch Adam und Eva versteckten sich vor ihm. Er kam ihnen trotzdem nahe. Der wirkliche Grund, den die Bibel für den Rauswurf aus dem Paradies nennt, ist, dass Gott nicht wollte, dass sie in diesem Zustand und mit ihrer Scham ewig leben müssten, sondern schlimmstenfalls ein Menschenleben lang. Nicht länger.

Er wollte sie aus dieser Situation wieder erlösen. Schon im Paradies – als er voller Liebe Kleider für sie machte – wurde deutlich, dass er nach einem Weg suchen würde, ihre Unzulänglichkeit zuzudecken. Nicht zuletzt, weil er weiß, dass unsere Versuche, unsere Unzulänglichkeiten zu bedecken, so kläglich und unzureichend sind.

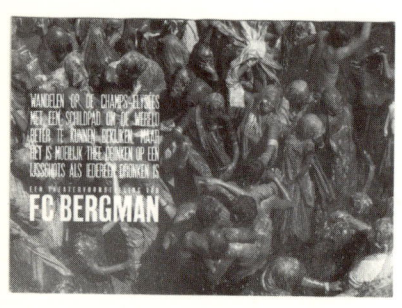

Am Abend des sechsten Tages war ich noch in das alte Handelskontor gegangen, um mir das Theaterstück anzusehen, zu dem mich die Schauspieler, die ich zwei Tage vorher kennen gelernt hatte, eingeladen hatten. Die Kompanie hatte Fantastisches geleistet – eine Inszenierung mit spannenden Effekten – alles in dem beeindruckenden Innenhof des Handelskontors. Man konnte den früheren Glanz des Gebäudes noch ahnen, wenngleich man den Verfall ebenfalls drastisch vor Augen hatte.

Das Stück selbst war reichlich düster. Es war lose an die *Commedia Divina* (Göttliche Kommödie) von Dante angelehnt und zeigte die finsteren Seiten des Menschen: Gier, Aggression, Gewalt, sexuelle Perversion, Beziehungsunfähigkeit bis hin zu absoluter Verzweiflung und zum Suizid. An manchen Stellen sah ich nicht hin.

Ich wollte nicht, dass sich mir die Bilder davon, wie gewaltsam Menschen mit sich und anderen umgehen, einprägten. Auch und gerade, weil ich weiß, dass sie real sind – nicht nur in diesem Theater, sondern tausendfach überall auf der Welt. Das Theaterstück endete – während der Schauspieler, der den Suizid spielte, noch von der Decke baumelte – mit den Klängen des Liedes »You are not alone« (Du bist nicht allein) und einem immer stärker werdenden Licht, das von außen in die Dunkelheit des Raumes traf.

Hinterher spendierte mir Christine, die Schauspielerin, die ich zwei Tage zuvor kennen gelernt hatte, Wein und Suppe. Wir kamen ins Gespräch. Sie mochte mich, ebenso wie ich sie, konnte es aber kaum fassen, dass ich an Jesus glaube. Aufgewühlt und schnell redete sie auf mich ein. »Jesus war doch nur ein Mensch mit heilenden Kräften. Ich verstehe nicht, warum man so viel aus ihm macht. Ihn so überhöht.« Sie redete und redete ... Ich spürte die Intensität ihrer Gefühle, merkte, dass sie aufgewühlt und beunruhigt war. Aber ich wusste nicht, was genau sie so bewegte.

Dann erzählte sie mir von ihrer Mutter, die Jesus und Maria fast fanatisch verehrte. Immer wieder hatte sie ihrer Tochter Jesus als Vorbild vor Augen gemalt. »Du sollst so sein und handeln wie er. So leben wie er!« Christine hatte sich angesichts dieser Erwartungen, denen sie nie genügen konnte, immer nur schlecht gefühlt. Ich konnte das gut verstehen. Mit einem solchen Anspruch kann kein Mensch leben.

Es war wie in der *Göttlichen Komödie*, wo die Menschen das ausbaden mussten, was sie im Lauf ihres Lebens ausgefressen hatten. Das Problem dabei ist: Die Erwartung, man müsste aus eigener Kraft so handeln wie Jesus, ist weder eine Komödie noch ist etwas göttlich daran. Es ist Hölle pur. Für Christine bestand die Lösung darin, die Existenz eines Gottes außerhalb ihrer selbst anzuzweifeln, alles Metaphysische nach Innen zu verlagern und sich auf das »Göttliche in ihr selbst« zu konzentrieren.

Doch auch dies schien ihr Problem nicht vollständig zu lösen. Sie war vor einem Gott geflüchtet, dessen vermeintlichen Erwartungen sie nie genügen konnte – und erlebte jetzt, dass sie selbst ein noch härterer Richter war. Sie erzählte, wie schlecht sie sich fühlte, wenn sie ihren eigenen Ansprüchen nicht genügte. Immer und immer wieder dachte sie, sie müsse liebevoller sein, konsequenter, femininer, stärker – ganz anders.

Ich wollte ihr gern erzählen, wie tief und real seine Liebe ist. Doch obwohl sie sagte, dass ich ganz anders sei als die sonstigen »Jesus-Leute«, die sie bisher erlebt hatte, wollte sie davon nichts hören. »Ich mag dich. Erzähl mir von dir. Aber nicht von Jesus.« Ich wusste fast nicht, wie ich das machen konnte. Ich hätte ihr so gern erzählt, wie ich Jesus erlebe, als den, der mich nicht richtet, sondern aufrichtet.

Manchmal vergesse ich fast, was für ein außerordentliches Geschenk es ist, einem Gott zu vertrauen, der mich mit seinen Erwartungen nicht erdrückt, sondern mir entgegen kommt.

Je weniger Christine es zuließ, dass ich ihr von Jesus erzählte, um so mehr spürte ich, wie sehr mich das bewegt, was er für mich getan hat. Er hat die Ansprüche, die er an mich hat, selbst erfüllt, indem er all meine Unfähigkeit und Unzulänglichkeit ans Kreuz getragen hat. Und nun unterstützt er mich mit seiner Kraft und Liebe dabei, freier, gelassener und geliebter zu leben.

Er ist Gegenüber und begegnet mir auf Augenhöhe, als Freund, als der, der mit mir spricht. Als der, der mit seinem Geist in mir lebt. Er ist nah, real und anwesend. Bei mir und in mir. Der Gott, der mir entgegen kommt, um mich zu lieben. Der meine Schwächen nicht bloßstellt und von mir erwartet, dass ich sie aus eigener Kraft bewältige, sondern der meine Unzulänglichkeiten mit Liebe bedeckt.

Wie sollte ich ihr von mir erzählen, ohne Jesus zu erwähnen? So viel von dem, wer ich bin, hat sich im Dialog mit Jesus entwickelt, der mir Freund, Schöpfer und Gegenüber ist. Ich wäre ohne die Beziehung zu Christus nie zu der geworden, die ich jetzt bin. Er hat so viel in mir erlöst und durch seine Liebe Bereiche zur Entfaltung gebracht, von denen ich nicht einmal wusste, dass sie in mir angelegt waren.

Aber er ist auch »über« mir. Er ist Gott, der außerhalb meiner Welt steht und von außen eingreifen und helfen kann. Ich kann nur ahnen, wie schrecklich es ist, wenn man versucht, Veränderungsprozesse ohne ein liebendes Gegenüber zu bewerkstelligen. Ohne seine Kraft. Ohne Dialog mit jemandem außerhalb von einem selbst. Wie unendlich einsam. Weil ich Christine mochte, sagte ich ihr dennoch offen, dass ich ihr wünschte, sie möge dem Gott begegnen, der ganz real für sie da sein will. Sie nahm den Wunsch lächelnd entgegen und sagte mir, dass sie – auch wenn sie den Wunsch nicht teilte – die Liebe spürte, die er ausdrückte.

Am Morgen des letzten Tages fiel mein Blick auf das Blatt Papier, auf dem Derek und Amy alles Wichtige notiert haben, was Gäste ihrer Wohnung wissen sollten – von der Bedienung der Waschmaschine bis hin zur Handhabung des Moskitonetzes.

Ich entdeckte ein Detail, das bis dahin meiner Aufmerksamkeit entgangen war. Am Ende der Seite war ein kleiner Pfeil, der darauf hinwies, dass es auf der Rückseite weiterging. Ich drehte das Blatt um und traute meinen Augen kaum. Dort stand: *Übrigens. Wir haben jetzt W-LAN in der Wohnung. Unser Netzwerk heißt … und das Passwort ist »Auf dem Weg nach Hause!«*

Ich probierte es aus. Es funktionierte sofort. Klare, schnelle, kraftvolle Verbindung – ich konnte alle Information abrufen, die ich brauchte. Ich konnte es kaum fassen. Tagelang hatte ich alles Mögliche ausprobiert, um »Verbindung nach oben« herzustellen. Ich war zum Hafen gelaufen in der Hoffnung, dort Internetzugang zu bekommen, hatte stundenlang bei Wind und Kälte versucht, eine Verbindung herzustellen. Hatte den Laptop auf Knien auf dem Balkon balanciert und mit einer Hand in die Luft gehalten, um den dünnen Verbindungsfaden zu einem schwachen Netz nicht abreißen zu lassen.

Ich hätte sogar für die Verbindung Geld ausgegeben – doch Internet-Cafés gab es weit und breit keine. Und jetzt erfuhr ich: All die Mühe hätte ich mir sparen können. Hier hatten Freunde für meinen Zugang ins Netz bezahlt, hatten ihn eingerichtet. Ich hätte ihn einfach nutzen können, wenn ich ihre Botschaft gelesen hätte.

Ich wünschte mir, ich hätte diese Erfahrung schon früher gemacht. Dann hätte ich Christine vielleicht besser erklären können, wer Jesus für mich ist. Er ist für mich derjenige, der mir die Mühe abnimmt, krampfhaft zu versuchen, selbst Zugang nach oben zu finden – zu Gott, wo alle Schätze der Information, Kommunikation und Liebe sind, die ich brauche. Er lädt mich in sein Netzwerk ein.

In Jesus sucht Gott selbst die Verbindung zu uns und bietet sie uns an. Ohne Kosten. Weil er schon dafür bezahlt hat. Man muss sich nur einloggen. Das Passwort ist »Auf dem Weg nach Hause«. Es ist wie bei den Feigenblättern. Sie genügen nicht, um auch nur ansatzweise unsere Unzulänglichkeit zu bedecken. Ich dachte an die Worte aus der St. Pauluskirche: »Het Liefte bedeckt.« Die Liebe deckt zu. Gottes Liebe.

Doch die Liebe überrascht auch. Kurz vor Ende meiner Antwerpener Zeit empfand ich, dass Gott mir sagte, ich solle in einen bestimmten Teil der Stadt gehen. Mir war nicht klar, warum, aber da ich nichts zu verlieren hatte, machte ich mich auf den Weg.

Plötzlich stand Christine vor mir, die zufällig in diesem Viertel unterwegs war. Antwerpen hat immerhin eine halbe Million Einwohner – von daher fanden wir beide dieses Zufallstreffen reichlich ungewöhnlich. Weil wir Zeit hatten, gingen wir noch etwas trinken und redeten lange, tief und offen. Ich sagte ihr, wie traurig es mich machte zu sehen, wie sie sich ständig selbst verurteilte – und erzählte von meiner Erfahrung mit dem Internet-Zugang, der die ganze Zeit da war, ohne dass ich es wusste. Wie Gott, der uns entgegen kommt, um Verbindung zu schaffen, wo wir es nicht können.

Am Ende erklärte sie mir: »Ich glaube zwar noch nicht so sehr an einen Gott außerhalb von uns selbst, wie du es tust. Aber ich glaube auch nicht mehr so sehr an einen Gott, der nur in uns ist, wie es meine New-Age-Lehrer tun.« Als wir uns zum Abschied herzlich umarmten – ich hatte sie richtig lieb gewonnen – sagte sie mir einen der schönsten Sätze, den ich mir denken kann: »Wenn ich mit dir zusammen bin, fühle ich Freiheit!«

ↄ

KLEINE WEISHEIT

Du bist nicht allein. Gott bietet dir seine Nähe und Liebe an. Du musst nicht dafür bezahlen.

MAN NEHME ...

... verschiedene Gegenstände und eine Decke.

Denke über die Bereiche nach, in denen du Unzulänglichkeit spürst. Probiere aus, wie es ist und sich anfühlt, dich mit Dingen zu bedecken, die nicht groß genug sind. Was fühlst du dabei? Wie hältst du deinen Körper? Versuche, wie es ist, dich ganz in eine Decke einzuhüllen. Denke daran, dass Gott alle deine Unzulänglichkeiten bedeckt.

DAS ERSTE WORT
IST NICHT DAS LETZTE

Meine Absicht ist, aus Tod Leben hervorzubringen, aus Gebrochenheit Frieden zu erzeugen und Dunkelheit in Licht zu verwandeln.
—PAPA IN »DIE HÜTTE«, SEITE 221

Sonntag. Ruhetag. Ich nahm mir Zeit zum Reflektieren und dachte über die vielen Dinge nach, die sich in den letzten Tagen verändert hatten. Ich hatte Antwort auf eine der Fragen gefunden, die mich seit Jahren bewegt und gequält hatten: Wie kann ich Gott weiter bitten und vertrauen, wenn er manche Bitten, zu denen er mich selbst ermutigt hat, offensichtlich nicht erhört? In dieser Woche hatte ich entdeckt, dass er meine Bitte, geliebt zu werden, auf seine Art und Weise beantwortet hatte. Statt mir Liebe wie ein Almosen zu schenken, lehrte er mich zu lieben. Das war nicht, was ich erwartet hatte. Das war mehr.

In mir war jedoch noch eine andere, große Frage offen: Wie kann ich damit umgehen, wenn Gott selbst mir offensichtlich etwas zusagt, und es dann doch nicht tut?

Mir ist klar, dass Kommunikation sehr vielschichtig ist. Auch Gottes Kommunikation mit uns. Das Gesagte und der Sinn dahinter sind nicht immer 1:1 identisch. Oft sagen wir etwas, dessen wahrer Sinn sich erst aus dem Kontext erschließt. So wie bei dem Gemälde *Die Sprichwörter* von Peter Breughel, das ich im Rockox-Museum gesehen hatte. Dort waren 108 Sprichwörter des 16. Jahrhunderts bildhaft dargestellt. Manche erschlossen sich mir auf den ersten Blick: »Mit dem Kopf durch die Wand« war klar auszumachen.

Offensichtlich war auch »Ich scheiß auf die Welt«.[26] Andere Sprichworte waren ohne Kenntnisse des historischen Kontextes nicht verständlich. Etwa »dem Mann einen blauen Mantel umhängen«. Das heißt, wie mir Museumsangestellte erklärten, so viel wie »ihn im Dunkeln lassen« – in der Regel im Kontext von Ehebruch. Manche dieser Sprüche blieben uns allen ein Rätsel: »Er kann nicht sehen, dass die Sonne in das Wasser scheint«. Was bedeutet das? Oder »den Teufel um das Kissen binden« – heißt das »ihn um den Finger wickeln«? Oder etwas ganz anderes? Niemand wusste es.

Die Worte, die wir sagen, drücken nicht immer direkt das aus, was der eigentliche Zweck der Kommunikation ist. Wenn ich eine Freundin bitte, Brötchen holen zu gehen, kann es tatsächlich sein, dass ich meinen Backwarenvorrat aufstocken möchte. Es ist aber auch möglich, dass ich einen Vorwand suche, um sie aus dem Haus zu schicken, weil ich eine Überraschungsparty für sie vorbereite.

Kürzlich fragte mich meine Freundin Rima am Telefon nach Details zur Handlung eines Films, den ich am Tag zuvor gesehen hatte. Ich reagierte kurz angebunden, gab ihr nur knappe, ausweichende Antworten und versuchte, das Thema zu wechseln. Der Grund war nicht, dass ich sie nicht mag – im Gegenteil.

Weil ich wusste, dass sie sich sehr für diesen Film interessierte, er aber in ihrer Provinzstadt nicht zu sehen war, hatte ich ihr die DVD besorgt und geschickt, um ihr eine Freude zu machen. Die DVD war zum Zeitpunkt unseres Gesprächs noch unterwegs. Weil ich ihr die Überraschung nicht verderben wollte, reagierte ich so kurz angebunden und gab so wenig wie möglich preis.

---

26 Pardon an alle feinfühligen Leser – das ist leider die wörtliche Übersetzung aus dem Flämischen!

Vielleicht macht Gott das manchmal auch so? Vielleicht schweigt er gelegentlich aus reiner Liebe – weil er etwas Schönes für uns vorbereitet hat und uns damit überraschen möchte?

Vielleicht. Auf jeden Fall ist Gottes Kommunikation mit uns nicht immer direkt. Er spricht häufig in Bildern und Rätseln, um uns in ein tieferes Gespräch einzuladen. Das, was er uns sagt, ist oft nur der Beginn, nicht das Ende der Kommunikation.

Ab und an ist es auch sein Versuch, uns in Bewegung zu bringen. So wie Paulus. Ihm gab Gott eines Nachts einen Traum, in dem er einen Mann in der Tracht eines Mazedoniers sah, der zu ihm sagte: »Komm herüber und hilf uns«. Paulus segelte nach Philippi, einer Hafenstadt in Mazedonien. Nur: Dort war weit und breit kein Mann, der auf ihn wartete. Allerdings viele Frauen, die offen für die Botschaft waren, die Paulus brachte.

Hatte Gott ihn beschummelt? Oder war Gott einfach klug genug, um zu wissen, dass er Paulus vermutlich nie zum Aufbruch bewegt hätte, wenn er ihm eine Vision von einem Dutzend Frauen geschenkt hätte, die riefen »Komm herüber und hilf uns«. Womöglich hätte Paulus, ähnlich wie viele Männer, einen derartigen Traum unter die Kategorie »Alptraum« einsortiert. Und die Flucht ergriffen.

Wie der Prophet Jona. Der kam nicht damit klar, dass Gott das berechtigte Gericht, das er, Jona, in Gottes Auftrag der Stadt Ninive angekündigt hatte, dann – trotz der klaren Ansage – doch nicht stattfinden ließ. Gott entschied sich vielmehr, Gnade vor Recht walten zu lassen. Jona konnte das nicht nachvollziehen und schmollte unter einem Baum, der mal blühte und mal vor sich hin welkte. Er war sauer auf einen Gott, der nicht vorhersehbar, nicht verstehbar und nicht berechenbar war. Ich kann ihn verstehen.

Ich wünsche mir manchmal einen Gott, der berechenbarer für mich ist. Der so spricht, dass ich eindeutig weiß, woran ich bin und was ich erwarten kann. Ich genieße es, wenn Gottes Reden klar und unmissverständlich ist. Wenn es keine Zweifel daran gibt, was er gesagt und damit gemeint hat. Wenn ich weiß, was er tun wird, und ich mich darauf verlassen kann. Umso frustrierender und unerklärlicher ist es dann für mich, wenn sich nicht erfüllt, was er mir anscheinend so klar gesagt hat.

So wie Gottes (?) Reden zwei Monate nach der Trennung von Marc. Ich war, um den Schmerz zu verarbeiten und mir Trost und Wegweisung von Gott zu erbitten, zu einer Gebetswoche gefahren. Dort tauschten wir uns in kleinen Gruppen aus, beteten intensiv und baten Gott, zu uns zu sprechen. Bevor ich losgefahren war, hatte ich Gott gebeten, mir in dieser Woche Antwort auf eine Frage zu geben, die mich sehr bewegte: Sollte ich weiter die Tür meines Herzens für Marc offen halten oder nicht?

Die Leiterin meiner Kleingruppe teilte mir mit, was sie als Gottes Botschaft für mich in Bezug auf die beendete Beziehung empfand: *Ein Baum hat Hoffnung, auch wenn er abgehauen ist; er wird wieder ausschlagen.* (Hiob 14, 7) Das klang ermutigend und verheißungsvoll, nach Hoffnung und Neuanfang. Dennoch war das Gesagte keine eindeutige Antwort auf meine Frage.

Natürlich konnte ein Baum, der neu ausschlägt, ein Bild für den Neubeginn der Beziehung sein. Trotz aller Hoffnung, die dieser Bibeltext bei mir weckte, wollte ich mich davor hüten, ihn zu einseitig nach meinen Wünschen zu interpretieren. Wenn Gott mir tatsächlich sagen wollte, dass es einen Neuanfang geben würde, dann müsste es schon klarer, eindeutiger sein. Darum bat ich ihn.

Kurz vor Abschluss des Seminars trank ich noch mit Michael*, einem Mitarbeiter, den ich als sehr sensibel und vertrauenswürdig kennen gelernt hatte, einen Kaffee. Er wusste zwar von der gescheiterten Beziehung, jedoch nichts von meiner Frage an Gott, ob ich die Tür meines Herzens für Marc offen halten sollte.

Mitten im Gespräch war er sichtlich bewegt und sagte mit Tränen in den Augen: »Gott möchte dir sagen, dass du die Tür deines Herzens für Marc nicht verschließen sollst. Ich sehe euch miteinander auf einer Bank vor einer Hütte sitzen. Ich sehe auch ein Kind bei euch, das Gott euch schenken will. Gott wird euch bald wieder zusammen bringen. Was eure Beziehung beschwert hat, wird kein Problem mehr sein. Ihr seid füreinander bestimmt und werdet miteinander alt werden.«

Das war meine klare Antwort. Die konkrete Antwort auf meine Frage. Genau die Antwort, um die ich gebeten hatte. Klar und deutlich. Es berührte mich tief, dass Gott mir in jener Woche – im letzten Moment – eine klare Antwort auf meine Frage gegeben hatte – und noch mehr.

Gott hatte mir etwas von seinen Plänen und Absichten gezeigt für mich und uns. Er hatte durch einen Menschen zu mir gesprochen. Ich weinte vor Staunen und Glück.

Das kleine Problem: Dieses Gespräch war mittlerweile drei Jahre her. Drei lange Jahre. Das scheinbar von Gott Verheißene war bislang nicht eingetroffen. Das warf tausendundeine Frage auf, für die ich Antworten suchte.

Eine Möglichkeit: Vielleicht hatte Michael sich alles selbst ausgedacht. Nicht unbedingt mit böser Absicht. Manche Menschen empfinden, was andere bewegt, sehr tief. Sie fühlen so intensiv mit, dass das, was sie anderen zutiefst wünschen, ihnen tatsächlich als Reden Gottes für den anderen erscheint. Gut möglich. Aber wieso würde Gott, der mich liebt, mich so ins Messer laufen lassen? Zulassen, dass ich, wenn ich *ihn* ernsthaft um eine Antwort bitte, eine Falschaussage erhalte?

Eine andere Möglichkeit der Erklärung: Vielleicht war die Verheißung auch an bestimmte Bedingungen geknüpft, die nicht explizit erwähnt wurden: »Das ist mein Plan, wenn ihr beide das wollt und mitgehen möchtet ...« Gott erwähnt das »Kleingedruckte« nicht immer. Als er etwa der Stadt Ninive das Gericht androhte, sagte er nicht: »Ich werde das nicht eintreffen lassen, falls ihr umkehrt.« Die Einwohner Ninives ahnten das »Kleingedruckte« und reagierten mit Umkehr und Veränderung ihres Lebens. Vielleicht war auch in meinem Fall die Erfüllung an »Kleingedrucktes« geknüpft, das aber nicht explizit erwähnt wurde? Wenn ja, was hätte das sein können?

Eine weitere Möglichkeit der Erklärung: Es kann gut sein, dass der ewige Gott eine sehr andere Vorstellung von dem Begriff »bald« hat als ich. Aber hier würde ich gern ein Wörtchen mitreden: »Herr, ich bin um die Vierzig und gehöre vermutlich nicht zu denen, die dazu berufen sind, mit 90 ein Kind zu bekommen. Also, wenn das Ganze deine Idee war, dann möchte ich dich darauf hinweisen, dass *bald* wirklich *bald* sein müsste!«

Ich fand noch eine vierte Erklärung: Möglicherweise wollte Gott mir mit diesen Sätzen keine wasserfeste Zukunftsprognose geben, so wie Wahrsager sie per Spam-Mail anbieten: »*Ich werde heute noch Ihre geheime, dringende und kostenlose Zukunftsvision anfertigen, um Ihre persönlichen und finanziellen Probleme zu beheben.*«

Gott will nicht anonym die Zukunft voraussagen und alle meine Probleme beheben. Er will vor allem eine Beziehung mit mir führen. Er zeigt mir, was möglich ist, damit ich ermutigt bin und meinen Teil dazu beitrage, dass das Verheißene Realität wird. So hatte ich Gottes Ermutigung in Bezug auf meine Firma erlebt.

Doch bezüglich Marc fiel mir nichts ein, was ich hätte tun können, um zur Erfüllung beizutragen. Man kann durch das eigene Verhalten Raum für Liebe schaffen, aber dass man tatsächlich von einem Menschen geliebt wird, gehört nun mal zu den Dingen, die man nicht erzwingen kann. Gott sei Dank! Freiheit ist eines der größten Geschenke, die Gott uns gemacht hat. Auch die Freiheit zu lieben oder nicht. Diese großartige Freiheit möchte ich keinem Menschen nehmen – auch Marc nicht.

Die verschiedensten Erklärungen über die für mich so schwer einzuordnende »Verheißung« einer künftigen Partnerschaft entlasteten mich zwar, aber sie genügten nicht, um mir Klarheit und Trost zu spenden. Als ich bei Abendrot auf dem Balkon der Antwerpener Wohnung saß, spürte ich: Diese Erfahrung war eines von den Puzzleteilen, die weder in mein Bild von Gott, noch sonst irgendwohin passten.

Vielleicht wäre eine derartige Erfahrung für andere Menschen, die alles lieber alleine machen, Gott nicht in ihre Pläne einbeziehen und direktes Reden Gottes nur selten erleben, leichter zu verarbeiten gewesen. Vielleicht hätten sie es einfach mit einem Satz auf die Seite schieben können: »Der Mann hat sich offensichtlich geirrt.«

Ich jedoch bin immer wieder begeistert und berührt davon, dass Gott tatsächlich mit Menschen kommuniziert. Mal erlebe ich Gottes Reden direkt zu mir, mal durch Menschen, die sensibel für ihn sind. So habe ich oft Impulse empfangen, die wegweisend für mich waren. Es gehört zu mir, mich nach Gottes Reden zu sehnen und sensibel dafür zu sein. Diese tiefen und bereichernden Erfahrungen möchte ich keinesfalls missen.

Manchmal höre ich Gott durch Texte, Ausstellungen und Begegnungen. All diese Erfahrungen haben mein Leben geprägt und reich gemacht. Vielleicht ist gerade deshalb Reden Gottes, das ich nicht einordnen kann, eine besondere Herausforderung für mich. Es schmerzte nach wie vor, das Unverständliche nicht begreifen zu können.

Doch seit der Erfahrung mit Gottes Liebe einige Tage zuvor quälten mich die ungelösten Fragen nicht mehr so sehr. Der Gott, der mir überdeutlich gezeigt hatte, dass er mich und meine Gebete hört – ganz anders hört, als ich es erwartet hatte – meinte es sicher auch in dieser Sache gut mit mir, auch wenn ich es nicht verstehen konnte.

Auf dem Balkon dachte ich darüber nach, wie oft ich Gott in den vergangenen Jahren wegen dieses Versprechens angeklagt hatte. Und wie oft ich versucht hatte, ihn zu erpressen und zum Handeln zu zwingen: »Du hast doch gesagt, dass ... Also tu auch, was du gesagt hast.«

Plötzlich kam mir ein Gedanke, der mich erschütterte und elektrisierte. Ich griff ihn auf und formulierte ein Gebet: »Gott, ich weiß absolut nicht, was du mit dieser Kommunikation, die du entweder initiiert oder zumindest nicht verhindert hast, bezwecken wolltest. Es irritiert und verwirrt mich immer noch. Aber eines wird mir jetzt gerade klar: Du wolltest garantiert nicht, dass ich das Gesagte als Waffe gegen dich benutze, dass ich versuche, dich mit diesen Worten zu erpressen und zum Handeln zu zwingen.

Dahinter steckt ganz viel Misstrauen und Angst, du könntest mich vergessen und dich nicht um mich sorgen. Es tut mir leid, dass ich so mit dir umgegangen bin. Bitte verzeih – und stärke mein Vertrauen, dass du es wirklich gut mit mir meinst – auch wenn ich dich nicht immer verstehen kann.«

Ich bin froh, dass ich zumindest nie auf den dummen Gedanken gekommen bin, Marc mit dem (vermeintlichen) Reden Gottes zu erpressen. Zum einen, weil ich davon ausgehe, dass Gottes Reden zuerst der Person gilt, die es hört. Er will sie damit offensichtlich anstupsen, auf etwas aufmerksam machen oder in eine bestimmte Richtung lenken. Falls das Gesagte eine Botschaft enthält, die man jemandem weitergeben soll, kann man erwarten, dass Gott das deutlich dazu sagt. Wenn das nicht der Fall ist, kann man getrost davon ausgehen, dass Gott direkt mit der Person sprechen wird.

Ein weiterer Grund, warum ich nicht mit dem Gehörten bei Marc hausieren ging, war die Erfahrung mit Menschen, die genau das getan haben. Sie haben andere Menschen mit der Botschaft »Gott hat mir gesagt, du musst dies oder jenes für mich tun!« bedrängt und häufig auch manipuliert.

Die erwarteten Handlungen reichten von Mitarbeit im Kindergottes-dienst über geschäftliche Kooperation bis hin zu Partnerschaft und Liebe.

Selbst wenn Gott etwas Bestimmtes von uns möchte, weil er weiß, dass es das Beste für uns ist, zwingt er uns seinen Willen nicht auf. Wir haben die Freiheit, »Nein« zu sagen – selbst zum Besten. Je-manden zu erpressen oder zum Handeln zu zwingen, hat immer mit Angst zu tun. Mit der Angst, dass der andere das, was man wünscht, nicht ohne Zwang und freiwillig geben wird. Sowohl Menschen als auch Gott gegenüber ist Erpressen ein Ausdruck von Misstrauen. Es fördert die Beziehung nicht, sondern bewirkt das genaue Gegenteil. Das gilt auch für »Gott mach´ doch, dass er tut, was ich will«-Gebete.

Es ist durchaus möglich, dass Gott Menschen sagt, wer in ihrem Le-ben wichtig werden wird. Vielleicht teilt Gott dies mit, um Menschen für Neues und Ungewohntes zu öffnen. Aber es ist weise, das für sich zu behalten. Wenn das »Gehörte« tatsächlich Reden Gottes war, muss man seine Erfüllung nicht erzwingen. Dann wird Gott schon selbst tun, was er Gutes tun will. Zu seiner Zeit.

∾

KLEINE WEISHEIT

Egal, was Gott dir gesagt hat: Er tat es, um ein Gespräch mit dir zu beginnen. Nicht, um dir Munition gegen ihn in die Hand zu geben.

MAN NEHME ...

... einen Mund und rede.

Mit Gott. Über das, was du nicht verstehst. Offen und ehrlich, so wie du es einem guten Freund oder einer Freundin erzählen würdest.

LOSLASSEN

Die Zeit heilt nicht alle Wunden,
sie lehrt uns, mit dem Unbegreiflichen zu leben.
—Autor unbekannt

Als am letzten Abend Henk und Henriette auf dem Vorplatz der Antwerpener Kathedrale strahlend auf mich zukamen, wusste ich nicht, wen von beiden ich zuerst umarmen sollte. Sie wohnten in der Nähe und ich hatte sie eingeladen, mit mir gemeinsam den Ausklang dieser speziellen Woche zu feiern.

Den beiden ging es richtig gut. Sie strahlten und erzählten mir übersprudelnd von ihrem letzten Urlaub – »der schönste, den wir je zusammen erlebt haben«. Das will etwas heißen nach 30 Jahren Ehe! Sie waren dankbar und glücklich, erlebten eine nie gekannte Gelassenheit, gegenseitige Akzeptanz und Leichtigkeit im Umgang miteinander.

Ich hätte es vollkommen genossen, mit ihnen an meinem Lieblingsplatz in dem schönen iranischen Lokal Persepolis zu sitzen und bei leckerem Essen in ihre strahlenden Gesichter zu schauen – wenn nicht der Geiger mit der Zahnlücke auch da gewesen wäre. Sein Spiel hatte sich in den letzten Tagen nicht einmal ansatzweise verbessert. Zum Glück ging er bald weiter, nachdem Henriette ihn mit einer Spende beschenkt hatte.

Weil wir gerade von Beziehungen sprachen, fragten sie mich nach meinem früheren Freund. Ich erzählte ihnen von der Sache mit dieser »Verheißung einer künftigen Partnerschaft«, und dass ich es nach wie vor ziemlich herausfordernd fand, dass Gott mir zumutete, mit einem so großen Rätsel zu leben.

Das meinte ich nicht anklagend, aber etwas derartiges zu verdauen, einzusortieren und damit klarzukommen ist schon starker Tobak – nichts für Anfänger. Ich erzählte den beiden davon, dass mir mittlerweile klar war, wie ich *nicht* damit umgehen wollte. Dass ich Gott nicht mehr damit erpressen oder ihn zwingen wollte, zu erfüllen, was er mir scheinbar zugesagt hatte. Dass ich aber nach wie vor nicht wusste, wie ich es einordnen sollte. Dass ich Gott vertrauen wollte, aber noch keine Antwort auf die Frage gefunden hatte, was in Bezug auf diese Erfahrung Vertrauen bedeutete.

Sollte ich Gott vertrauen, dass er – falls er damals geredet hatte – das Zugesagte schon noch tun würde? Oder wäre es größeres Vertrauen, Gott zuzutrauen, dass er etwas ganz Neues für mich hatte? Leben allein oder einen anderen Partner, neue, ungeahnte Pläne, andere Bestimmungen? Aber wechselt Gott denn seine Pläne und Absichten wie Menschen ihre Urlaubsziele?

Mir liefen Tränen übers Gesicht, als ich den beiden von meiner Verwirrung erzählte. Ich schämte mich deswegen nicht. Sie hatten mir so offen von ihren Krisen erzählt, dass auch ich unverblümt über ungelöste Fragen sprechen konnte. Ich fragte sie, was sie über das alles dachten.

Henk sprach als erster. Er erzählte, wie er in den schwersten Zeiten ihrer Ehe loslassen lernen musste. »Immer wieder habe ich gebetet, dass Gott mir hilft, loszulassen. Ich wusste, das Loslassen die einzige Wahl war, die ich hatte. Wenn ich weiter krampfhaft an meinen Wünschen, Vorstellungen und Erwartungen festgehalten hätte, hätte ich alles verloren.« Weil ich nicht sicher war, ob ich ihn richtig verstanden hatte, erzählte ich ihm von einem Erlebnis, das mein Supervisor Siang einmal geschildert hatte.

Er war im Meer schwimmen gewesen und von den Wellen mit nach draußen gerissen worden. Als er sich umsah, entdeckte er, dass er sich kilometerweit vom Strand entfernt hatte. Er erschrak so sehr, dass er vor Schreck einen Krampf am ganzen Körper bekam. Er konnte seine Beine nicht mehr bewegen, seine Arme auch nicht. Lediglich seine Handflächen gehorchten ihm noch. Ihm war klar: Würde er ständig auf den Strand sehen, den er wieder erreichen musste, würde ihm dies die Kraft rauben, die er brauchte, um tatsächlich dorthin zu kommen.

Also positionierte er sich so, dass er Kopf und Rücken in Richtung Küste ausrichtete. Und dann konzentrierte er sich auf das das einzige, was er tun konnte: Er machte einen Handschlag nach dem anderen – so lange, bis er nach einer langen Zeit endlich den Sand des Strandes unter seinem Rücken spürte.

Für mich ist diese Geschichte eines der eindrücklichsten Bilder dafür, was es heißt, ein Ziel im Herzen zu behalten, aber nicht permanent darauf fixiert zu sein. Ich fragte Henk, ob es das sei, was er meinte. Er bejahte es und erklärte: »Natürlich habe ich mir immer gewünscht, dass unsere Ehe wieder besser wird. Aber ich wusste, ich würde alles verlieren, wenn ich ständig nur auf meine Erwartungen und die Wünsche blickte. Stattdessen habe ich mich auf das konzentriert, was im jeweiligen Moment an Nähe und Kontakt möglich war.« Mich berührte, was er sagte. Mir wurde klar, dass ich innerlich daran kaputt gehen würde, wenn ich mich weiter darauf versteifte, dass Gott mir möglichst bald erklären »musste«, was diese merkwürdige Erfahrung für einen Sinn hatte.

Im Buch der Sprüche (Kapitel 13, 12) steht: *Lange hingezogene Hoffnung macht das Herz krank.* Wenn man auf etwas hofft und sich das Gewünschte nicht erfüllt, wird die Seele, das Herz wirklich krank. Doch auf etwas hoffen ist etwas anderes, als jemandem zu vertrauen. Das Wort »Glauben« kommt von »geloben«, sich mit jemandem verbinden, verloben. Sich einem Vertrauenswürdigen anvertrauen. Glaube, der an einen vertrau-

enswürdigen Gott gebunden ist, macht das Herz nicht krank – selbst wenn man sein Handeln nicht immer verstehen kann. Vielleicht ist dieser Satz die beste Zusammenfassung meiner Woche mit Gott.

Am Ende des Tages fiel ich müde von der intensiven und schönen Begegnung mit Henk und Henriette ins Bett. Gefüllt mit warmen Gedanken, gutem Essen, Wein und einer leckeren heißen Schokolade, für die ein großer Klumpen edler belgischer Schokolade in schaumige Milch getaucht worden war.

Mir fiel eine Geschichte ein. Ein bösartiger Mann sah eines Tages drei schöne, junge Palmen. Sie waren schon etwa einen Meter hoch, stark genug, dass er sie mit einem Tritt gegen den Stamm nicht umhauen konnte. »Ha, ich werde euch zeigen, wer hier der Stärkere ist«, sagte er, schleppte den größten Stein heran, den er finden konnte, und legte ihn auf die Krone der mittleren Palme. Als er Jahre später wieder an die Stelle kam und sehen wollte, was aus »seiner« Palme geworden war, staunte er nicht schlecht. Die Palme, auf deren Krone immer noch der Stein lag, war höher, stärker und schöner als die anderen und trug weit mehr Früchte. Die zusätzliche Last hatte sie gezwungen, ihre Wurzeln tiefer in die Erde zu graben, um Kraft zum Wachsen zu haben. Dadurch war sie größer und stärker geworden und bot so auch mehr Schatten.

Ich konnte immer mehr vertrauen, dass Gott den Brocken »nicht einsortierbarer Verheißungen« nicht in mein Leben gebracht hatte, um mich zu quälen. Derartiges würde nicht zu dem Gott passen, der alles opferte, um uns zu erlösen. Auch wenn ich es nicht verstand, ahnte ich, dass er es getan oder zugelassen hatte, weil er mich liebt. Vielleicht würde ich durch die Auseinandersetzung mit diesem »Brocken« stärker werden. Vielleicht würden auch andere davon profitieren. Womöglich wollte Gott mich davon erlösen, alles verstehen zu müssen. Und zu einem Vertrauen befreien, das über mein Verstehen hinausgeht.

Vor dem Einschlafen bat ich Gott, mir zu zeigen, wie ich loslassen kann. In der Nacht weckte mich ein rachgieriger Verwandter der vor zwei Tagen ermordeten Stechmücke. Halb wach oder schlafend sah ich mich am Strand. Ich hatte einen Kreis mit vier Steinen gelegt. Sie symbolisierten Gott, mich, Marc und die Frage, warum Gott mir etwas gesagt hatte, wenn er es am Ende doch nicht tat. Der letzte Stein war ein großer Brocken, der fast meine ganze Aufmerksamkeit auf sich zog. Ich nahm meine innere Unruhe wahr, das Hin- und Herblicken zwischen den einzelnen Parteien, meine Unfähigkeit, zur Ruhe zu kommen.

Wie konnte ich das unter einen Hut bringen – Gottes scheinbares »Ja«, Marcs klares »Nein«? Wie konnte ich wissen, ob Gott das tatsächlich gesagt hatte und ob es drei Jahre später noch galt? Wie konnte ich Gottes scheinbares »Ja« ebenso respektieren wie Marcs klares »Nein«? Und wohin passten in all dem meine eigenen Wünsche?

Ich bekam das alles nicht zusammen. Ich spürte, dass diese Frage und die damit verbundenen Emotionen sich wie ein eiserner Ring um mein Herz gelegt hatten, der mir das Durchatmen und Entspannen schwer machte. Ich betete und bat Gott um Lösung.

Ich nutze symbolische Darstellungen oft beim Coaching. Etwas mit Gegenständen zu symbolisieren hilft in verwirrenden Situationen meist sehr, Dinge begreifbar zu machen – im wahrsten Sinne des Wortes.

Also begann ich mich mitten in der Nacht selbst zu coachen. »Wie müsste sich diese Anordnung hier ändern, damit es gut ist?«, fragte ich mich. Spontan legte ich den dicken Stein mit der ungeklärten Frage hinter den Stein, der Gott symbolisierte.

Mir wurde plötzlich auch emotional klar: Ich konnte und musste dieses Rätsel nicht lösen. Ich musste es nicht verstehen. Ich konnte das Ungeklärte, Offene, Schmerzhafte bei Gott lassen und ihm anvertrauen. Ich konnte es hinter ihn stellen. Ich nahm wahr, wie mein Blick frei wurde. Er wurde nicht länger wie magisch von der ungelösten Frage angezogen. Sie lag ja bei Gott. Der Brocken lag nicht mehr zwischen ihm und mir, sondern hinter ihm. Ich spürte, wie der Ring um mein Herz sich weitete und öffnete. Ein neuer Tag begann.

∽

KLEINE WEISHEIT

Dinge, die man nicht verstehen kann, kann man bei Gott ablegen.

MAN NEHME ...

... einige Gegenstände, die dich, Gott und das, was dir gelegentlich den Blick auf ihn verstellt, symbolisieren.

Probiere verschiedene Konstellationen aus, wo das Belastende liegen könnte, und versuche zu spüren, wie sich das anfühlt. Wie ist es jetzt? Wie möchtest du es stattdessen haben?

WIEDER-SEHEN
EPILOG AUF DEM HEIMFLUG

Der Gedanke, etwas nicht zu riskieren, ängstigt mich zu Tode.
—KEVIN COSTNER

Das Experiment ist geglückt. Ich fand Antworten auf meine drei großen Fragen. Gott ist mir begegnet und hat mir in der Begegnung mit ihm Antworten gegeben, die weit über meine Fragen hinausgingen. Meine Tage waren sicher weniger intensiv als das »Wochenende mit Gott«, das Mack in der Hütte erlebt hat. Aber ich bin nicht Mack und das hier ist auch kein Roman. Sondern ein reales Leben. Vieles habe ich sicher intensiver erlebt als an sonstigen stillen Tagen, weil ich es durchs Formulieren festgehalten habe. Es ist mir mehr als einmal passiert, dass etwas sich beim Schreiben vertiefte und klarer wurde.

Anderes erlebte ich weniger intensiv, weil ich weniger Zeit mit Nichtstun verbracht habe als zu anderen stillen Zeiten. Mit Musikhören. Stillsein. Daliegen. Spüren. Wobei man beim Nichtstun ja nicht nichts tut. Sondern das Gehirn Dinge verarbeitet, sortiert, ablegt, vertieft, verbindet. Manche Begegnungen mit Gott, die vielleicht möglich gewesen wären, habe ich womöglich verpasst, weil ich mich lieber abgelenkt habe. Auch das kommt vor. Und wird von Gottes Gnade bedeckt.

Ich bin auch noch nicht am Ende meiner Beziehungsskala angekommen. Würde man mich jetzt fragen, wie ich auf einer Skala von 1-10 die Qualität meiner Beziehung zu Gott einschätze, würde ich antworten: Sie hat sich in dieser Woche von schwankend zwischen 6 und 7 auf eine stabile 7 verbessert. Nach oben ist noch Raum offen – für weiteres Wachsen im Vertrauen.

Das bedeutet zuerst: Wachstum im Lieben und mich von ihm lieben lassen. Meine ganz besondere Woche mit Gott, mit ihren einzigartigen, bewegenden, skurrilen und wunderbaren Erfahrungen ist nun zu Ende. Aber mein Leben mit Gott geht weiter. Ich sage gelegentlich, dass ich – trotz Hollywood – nicht an die große Liebe glaube. Aber ich glaube intensiv an das tausendfache kleine Lieben, das sich zu einer großen Liebe zusammenfügt. Auch in der Liebe zu Gott.

Manche Menschen wünschen sich eine Beziehung – egal ob zu Menschen oder zu Gott – die wie ein stabiles Haus ist, in dem man allerhöchstens ab und zu mal Staub wischen muss.

Ich glaube, dass jede gute Beziehung vielmehr wie ein Garten ist, in dem es einige große, über lange Jahre gewachsene Bäume gibt, die auch mal eine Phase der Trockenheit überstehen. Und jede Menge anderer Pflanzen, die fast täglich Wasser brauchen, damit sie leuchtend blühen. Ich bin dankbar für das, was gewachsen und in der Zeit in Antwerpen neu aufgeblüht ist. Und ja, ich werde meine Beziehung zu Gott weiter pflegen. Vielleicht werde ich in den nächsten Monaten selbst einen Raum zu einer »Hütte« ausbauen, der Menschen, die Gott suchen und ihm begegnen möchten, mitten in der Stadt einen Ort der Ruhe schenkt. Ich träume davon.[27] Aus dem Flugzeuglautsprecher ertönt eine Stimme: »Bitte schalten sie alle elektronischen Geräte aus und schnallen sie sich an. Wir werden in wenigen Minuten landen.«

Okay. Ich bin bereit.

---

[27] Noch ein Wort zu Nacht-Träumen. Manchmal entdecke ich durch Träume deutlicher, was mich bewegt. Zu anderen Zeiten verbindet sich das Geträumte mit Erfahrungen, Bibelstellen und anderen Gedanken zu etwas, was für mich Sinn ergibt und was ich als Geschenk Gottes empfinde, das mir weiterhilft. Als »direktes Reden Gottes« würde ich dennoch die wenigsten meiner Träume bezeichnen. Geschweige denn sie auf die gleiche Ebene göttlicher Offenbarung – wie etwa die Bibel – stellen.

KLEINE WEISHEIT

Hör deinen Träumen zu – vielleicht will dein Herz dir etwas sagen. Oder Gott.

MAN NEHME ...

... einen Zettel und einen Stift.

Was hat dich beim Lesen am meisten bewegt? Was willst du dir unbedingt merken?

Tipp: Erzähle es mindestens drei Freunden, dann ist die Wahrscheinlichkeit, dass du es tatsächlich behältst, viel höher!

UND NUN – DU!

Wenn es stürmt, bauen manche Menschen sich eine Schutzhütte,
andere aber Windmühlen.
—Sprichwort aus Holland

Dies war meine Geschichte, mit meinen Erfahrungen und Erlebnissen. Einzig und nicht an allen Stellen artig. Das letzte, was ich wollte, war eine allgemein gültige Anleitung zu schreiben: »So findest du Gott in 10 Schritten.« Nicht mal die Bibel tut das. Sie erzählt – neben allgemein gültigen Aussagen – von fast unzählig vielen unterschiedlichen Wegen, wie Menschen dem ewigen Gott begegnet sind. Zu ihrer Zeit und auf ihre Weise.

Ich wollte gern erzählen, inspirieren, anregen. Nicht mehr und nicht weniger. Ich kann mir dennoch vorstellen, dass das Lesen meiner Erfahrungen bei dem einen oder anderen Sehnsucht geweckt hat, Gott selbst zu begegnen.

Möglicherweise fragst du dich, ob oder wie du Ähnliches erleben kannst. Deshalb hier zuerst die Empfehlung, die Rezepte aus dem Buch, die du ausgelassen hast, vielleicht doch zu testen, und einige von denen, die du schon probiert hast, ruhig noch einmal zu wiederholen.

Hier noch ein paar weitere:

MAN NEHME ...

... ein paar Stunden Zeit, bequeme Schuhe, einen Zettel und einen Stift.

Probiere es aus: Vielleicht erst mal im Kleinen. Für eine Stunde oder zwei. Gehe durch die Straßen deiner Stadt und bitte Gott, dir zu begegnen. Achte auf das, was dir begegnet und entgegen kommt. Stresse dich nicht mit überhöhten Erwartungen. Brennende Dornbüsche sind auch in der Bibel eher rar. Achte auf die kleinen Zeichen, die du unterwegs wahrnimmst: ungewöhnliche Dinge, schöne Orte. Lass dich davon überraschen, wie Gott dir begegnen will.

... Menschen.
Frage Menschen in deiner Umgebung, die eine für dich attraktive Beziehung zu Gott haben, was ihnen dabei hilft. Erfahrene Coaches und Stille-Begleiter bieten auch professionelle Unterstützung an. Ich selbst biete Coaching in Berlin an oder per Telefon.
www.kerstinhack.de

... Geschichten.
Lies Texte über Menschen, die mit Gott unterwegs waren, beispielsweise aus der Bibel und Biografien. Lass dich von ihnen inspirieren.

... *Stille finden – Aus der Ruhe leben lernen*
Das ist ein Quadro, ein praktisches Handbuch, das meine Freundin Birgit Schilling und ich geschrieben haben. Vier Wochen lang findest du täglich einen Impuls, wie du kürzere und längere Zeiten der Stille reich und intensiv gestalten kannst. www.down-to-earth.de

... begleitende Angebote.
Wer intensiver einsteigen möchte, dem empfehle ich Straßenexerzitien. Hier geht es darum, sich – mitten in der Stadt – auf Begegnung mit Gott einzulassen. So wie ich es in Antwerpen getan habe, nur nicht alleine, sondern mit Begleitung.
www.con-spiration.de/exerzitien

Rosemarie Stresemann und ich bieten regelmäßig das Seminar *In seiner Hütte – Mein Wochenende mit Gott* an. Wir begleiten Menschen auf dem Weg in ihre ganz persönliche Begegnung mit Gott.
www.mein-wochenende-mit-Gott.de

WIE DIESES BUCH ENTSTANDEN IST UND DANKE!

Schreiben ist leicht. Man muss nur die falschen Wörter weglassen.
—MARK TWAIN

80% dieses Buches habe ich in Antwerpen geschrieben. Genauer gesagt 120%, weil einige Passagen nicht bis zur Endfassung überlebt haben. Meine Erfahrungen habe ich in der Reihenfolge notiert, in der ich sie erlebt habe. Gelegentlich habe ich später an der einen oder anderen Stelle einen ergänzenden Aspekt eingefügt, um einen Gedanken noch klarer und besser auszudrücken.

Zurück in Berlin habe ich dann Informationen und Zitate ergänzt, zu denen ich in Antwerpen keinen Zugang hatte, habe die Sprache, wo es nötig war, poliert, Wiederholungen und weniger ausdrucksstarke Passagen gestrichen.

So gut es ging, habe ich die historischen Informationen verifiziert – ich halte es aber dennoch für durchaus möglich, dass sich noch die eine oder andere Ungenauigkeit oder sogar historische Fehler im Text verstecken. Mit den Menschen, denen ich begegnet bin, habe ich auf Deutsch, Englisch, Französisch und Flämisch kommuniziert, und da gab es sicher das eine oder andere Missverständnis. Für Hinweise und Korrekturen bin ich dankbar.

Es ist ja eine sehr persönliche Beschreibung einer Reise – deshalb habe ich einige Menschen gefragt, welche Teile davon ihrer Meinung nach auch für die Leser dieses Buches hilfreich und inspirierend sein könnten.

Danke, Roman, Rima, Rosemarie und Brigitte für euer ehrliches Feedback, das mir geholfen hat, Wesentliches klarer zu formulieren und Unwesentliches wegzulassen.

Danke auch an Derek, Amy, Rima, Birgit, Brigitte, Siang, Rosemarie, Henk und Henriette, dass ihr mir erlaubt habt, über euch zu schreiben. Ihr seid einzigartige Freunde, die mein Leben immer wieder aufs Neue bereichern. Ich bin so dankbar, euch zu kennen und so vieles mit euch zu erleben und zu teilen.

Danke Marc, dass ich dir immer erzählen kann, was mich bewegt, und dass du auf meine Fragen eingehst und ehrlich antwortest. Danke, dass du mir erlaubt hast, so offen von dir zu erzählen. Du bist einer der mutigsten Menschen, die ich kenne. Ich bewundere dich sehr dafür!

Danke an Günter Matthia für dein schnelles und gründliches Lektorat meines Textes – du erstaunst mich immer wieder.

Danke auch an Esther Sommerfeld, deren Grundschullehrerin ihr Punkte für jeden Fehler gab, den sie in einem Druckerzeugnis fand. Du hast hier Tausende gesammelt!

Danke an meinen Grafiker Michael Zimmermann – es macht mir jedes Mal neu Spaß, mit dir Dinge zu gestalten. Es fasziniert mich, wie du einfache Buchstaben aus einer Word-Datei zu einem schönen Buch verwandelst. www.michaelzimmermann.com

GANZ ECHT

Zuviel des Guten kann wundervoll sein.
—MAE WEST

Die wunderbaren Orte und Menschen, die ich in diesem Buch erwähnt habe, sind real. Man kann sie virtuell besuchen und ihnen auch im echten Leben begegnen:

Antwerpen: Eine wunderbar erholsame und inspirierende Stadt.
www.antwerpen.be

Berlin: Der spannendste Ort der Welt.
www.berlin.de

Derek und Amy Chapmann: Zwei Künstler und Lebenskünstler, warme Freude, die mit mir mitfühlen, mich auf 1001 Arten beschenken und immer für eine Überraschung gut sind.
www.bearablelight.com

Kerstin Hack: Ohne weitere Worte.
www.kerstinhack.de

Rosemarie Stresemann: Beste Freundin, Unterstüzerin und Ermutigerin. Warmherziger Coach, lebenserfahrene Referentin und Autorin.
www.rosemariestresemann.wordpress.com

Siang Be Weiser: Entspannter Mann, kluger Coach und Supervisor.
www.isiberlin.de

ANHANG

GEFÜHLE, DIE WIR HABEN, WENN UNSERE BEDÜRFNISSE ERFÜLLT SIND[28]

abenteuerlustig	erregt	hoffnungsvoll	selig
absorbiert	erstaunt	interessiert	sicher
aktiv	erwartungsvoll	involviert	sorglos
angeregt	fasziniert	lebhaft	stolz
aufgeregt	frei	liebevoll	überglücklich
behaglich	freudig	lustig	überrascht
belebt	friedlich	mitteilsam	überschwänglich
berührt	froh	motiviert	unbekümmert
bewegt	fröhlich	munter	vertrauensvoll
dankbar	gebannt	mutig	wach
energievoll	geborgen	neugierig	zärtlich
enthusiastisch	gelassen	optimistisch	zufrieden
erfüllt	glücklich	ruhig	
erleichtert	heiter	sanft	

GEFÜHLE, DIE WIR HABEN, WENN UNSERE BEDÜRFNISSE UNERFÜLLT SIND

Abscheu	einsam	konfus	Schmerz
abwesend	elend	krank	schwermütig
alarmiert	entsetzt	kribblig	träge
angespannt	enttäuscht	Kummer	traurig

---

28 Diese Liste erhebt keinen Anspruch auf Richtigkeit oder Vollständigkeit – sie dient lediglich der Inspiration. Quelle: www.gewaltfrei.de

ängstlich	erschöpft	lethargisch	überlastet
angstvoll	erschreckt	matt	ungeduldig
apathisch	faul	melancholisch	unruhig
bekümmert	frustriert	müde	unsicher
belastet	furchtsam	mutlos	verdrossen
besorgt	gehemmt	neidisch	verloren
bestürzt	gelangweilt	nervös	verwirrt
betrübt	gemein	niedergeschlagen	verzagt
bitter	gleichgültig	passiv	verzweifelt
deprimiert	hilflos	pessimistisch	widerwillig
desinteressiert	irritiert	Scham	wütend
durcheinander	kalt	schlaff	
düster	kleinmütig	schlecht	

INTERPRETATION STATT GEFÜHL (PSEUDOGEFÜHLE)

Oft benutzen Menschen die Formulierung: **Ich fühle mich ...** und benennen dann nicht ein wirkliches Gefühl, sondern eine Interpretation, einen Gedanken, eine Wahrnehmung ...

Ich fühle mich ...

angegriffen	eingeschüchtert	missbraucht	unterdrückt
ausgebeutet	festgenagelt	missverstanden	unwichtig
ausgenutzt	gequält	niedergemacht	verlassen
bedroht	gestört	provoziert	vernachlässigt
benutzt	gezwungen	sabotiert	vernichtet
betrogen	herabgesetzt	übergangen	vertrieben
bevormundet	hintergangen	ungewollt	zurückgewiesen
eingeengt	manipuliert	uninteressant	

Ich fühle mich (nicht) ...

beachtet	ernst genommen	geachtet
gehört	gesehen	verstanden
unterstützt	respektiert	wertgeschätzt